中国工程建设协会标准

风力发电机组消防系统
技术规程

Technical specification for fire protection
system of wind turbine generator system

CECS 391:2014

主编单位:公安部天津消防研究所
批准单位:中国工程建设标准化协会
施行日期:2015年5月1日

中国计划出版社

2014 北京

中国工程建设协会标准
风力发电机组消防系统
技　术　规　程
CECS 391：2014

☆

中国计划出版社出版

网址：www.jhpress.com

地址：北京市西城区木樨地北里甲11号国宏大厦C座3层

邮政编码：100038　电话：(010)63906433(发行部)

新华书店北京发行所发行

廊坊市海涛印刷有限公司印刷

850mm×1168mm　1/32　2.875印张　72千字
2015年4月第1版　2015年4月第1次印刷
印数1—3080册

☆

统一书号：1580242·678

定价：34.00元

版权所有　侵权必究

侵权举报电话：(010)63906404

如有印装质量问题，请寄本社出版部调换

中国工程建设标准化协会公告

第187号

关于发布《风力发电机组消防系统技术规程》的公告

根据中国工程建设标准化协会《关于印发〈2011年第二批工程建设协会标准制订、修订计划〉的通知》(建标协字〔2011〕111号)的要求,由公安部天津消防研究所等单位编制的《风力发电机组消防系统技术规程》,经本协会消防系统专业委员会组织审查,现批准发布,编号为CECS 391：2014,自2015年5月1日起施行。

中国工程建设标准化协会
二〇一四年十二月三十一日

前　言

根据中国工程建设标准化协会《关于印发〈2011年第二批工程建设协会标准制订、修订计划〉的通知》（建标协字〔2011〕111号）的要求，编制组在总结国内外风力发电机组消防系统可靠性研究和工程应用研究基础上，开展了大量的试验测试研究工作，同时参考国内外有关标准，并在广泛征求意见的基础上，制定本规程。

本规程共分10章和5个附录，主要内容包括：总则、术语、防护单元、系统选型、装置组件、工程设计、施工、系统调试、竣工验收、维护管理等。

本规程的某些内容涉及专利，涉及专利的具体技术问题，可直接与本规程主编单位协商处理。本规程的发布机构不承担识别这些专利的责任。

本规程由中国工程建设标准化协会消防系统专业委员会（CECS/TC21）归口管理，由公安部天津消防研究所负责具体技术内容的解释。在使用中如发现需要修改和补充之处，请将意见和资料寄送解释单位（地址：天津市南开区卫津南路110号，邮政编码：300381，电子邮箱：xudajun@tfri.com.cn）。

主 编 单 位：公安部天津消防研究所
参 编 单 位：杭州智宇能源科技有限公司
鞍山华光消防器材厂
埃波托斯（上海）消防装备有限公司
北京华泰博创科技有限公司
沈阳宏适达电子有限公司
四川威特龙消防设备有限公司
澳大利亚艾克利斯有限公司上海代表处

罗达莱克斯阀门(上海)有限公司
河北省公安消防总队
宁夏回族自治区公安消防总队
江苏省公安消防总队
北京鉴衡认证中心有限公司
北京金风科创风电设备有限公司
中国电建集团华东勘测设计研究院
华电电力科学研究院
国安达股份有限公司

主要起草人： 赵力增　徐大军　张　晋　高云升　彭燕华
邱奕文　庄　雷　贾冬梅　米秋林　孟　路
张宏宇　李　伟　朱希龙　蔡榆梁　刘连喜
郭　歌　马延波　冯婧钰　姚小芹　张海峰
骆育真　宋文琦　钟天宇　章　凯　张　帅

主要审查人： 杨震铭　祁和生　杨志刚　周明潭　王雪松
马玉和　朱　江　方　黎　李春强　周建国
洪伟艺

目　　次

1 总　　则 ……………………………………………………（1）
2 术　　语 ……………………………………………………（2）
3 防护单元 ……………………………………………………（5）
　3.1 防护单元划分 …………………………………………（5）
　3.2 防护单元防火保护 ……………………………………（5）
　3.3 安全要求 ………………………………………………（6）
4 系统选型 ……………………………………………………（7）
　4.1 环境适用条件 …………………………………………（7）
　4.2 系统设备选型 …………………………………………（7）
5 装置组件 ……………………………………………………（10）
　5.1 一般规定 ………………………………………………（10）
　5.2 火灾探测器 ……………………………………………（10）
　5.3 火灾报警控制器与灭火控制装置 ……………………（11）
　5.4 灭火装置组件 …………………………………………（12）
6 系统设计 ……………………………………………………（14）
　6.1 一般规定 ………………………………………………（14）
　6.2 火灾探测器 ……………………………………………（15）
　6.3 灭火装置 ………………………………………………（17）
　6.4 火灾报警控制器与灭火控制装置 ……………………（19）
　6.5 布线 ……………………………………………………（20）
　6.6 防火封堵材料 …………………………………………（20）
7 系统安装 ……………………………………………………（22）
　7.1 一般规定 ………………………………………………（22）
　7.2 探测装置和控制装置的安装 …………………………（23）

7.3 灭火装置的安装 …………………………………………（24）
7.4 防火封堵的施工 …………………………………………（26）
8 系统调试 ……………………………………………………（27）
　8.1 一般规定 …………………………………………………（27）
　8.2 火灾报警控制器与灭火控制装置调试 …………………（27）
　8.3 灭火装置调试 ……………………………………………（28）
　8.4 风力发电场消防系统联动调试 …………………………（29）
9 竣工验收 ……………………………………………………（30）
　9.1 一般规定 …………………………………………………（30）
　9.2 文件资料核查 ……………………………………………（31）
　9.3 工程质量验收 ……………………………………………（31）
10 维护管理 …………………………………………………（33）
　10.1 一般规定 ………………………………………………（33）
　10.2 使用与维护 ……………………………………………（33）
附录 A 风力发电机组消防系统施工现场质量管理
　　　 检查表 ………………………………………………（35）
附录 B 风力发电机组消防系统施工记录 ………………（36）
附录 C 风力发电机组消防系统调试记录 ………………（40）
附录 D 风力发电机组消防系统工程验收记录 …………（42）
附录 E 风力发电机组消防系统日常维护检查记录 ………（44）
本规程用词说明 ………………………………………………（46）
引用标准名录 …………………………………………………（47）
附：条文说明 …………………………………………………（49）

Contents

1 General provisions ················ (1)
2 Terms ················ (2)
3 Protective unit ················ (5)
   3.1 Division of protective unit ················ (5)
   3.2 Fire protection of protective unit ················ (5)
   3.3 Safety requirements ················ (6)
4 System selection ················ (7)
   4.1 Environment condition ················ (7)
   4.2 System equipment selection ················ (7)
5 Equipment components ················ (10)
   5.1 General requirements ················ (10)
   5.2 Fire detector ················ (10)
   5.3 Fire alarm control unit and fire control equipment ················ (11)
   5.4 Fire extinguishing equipment components ················ (12)
6 System design ················ (14)
   6.1 General requirements ················ (14)
   6.2 Fire detector ················ (15)
   6.3 Fire extinguishing equipment ················ (17)
   6.4 Fire alarm control unit and fire control equipment ················ (19)
   6.5 Wiring ················ (20)
   6.6 Fire stopping material ················ (20)
7 System installation ················ (22)
   7.1 General requirements ················ (22)
   7.2 Installation of detector and control equipment ················ (23)

7.3　Installation of fire extinguishing equipment ············· (24)
7.4　Installation of fire stopping material ················· (26)
8　System commissioning ································· (27)
　8.1　General requirements ····························· (27)
　8.2　Commissiong of fire alarm control unit and fire
　　　control equipment ································ (27)
　8.3　Commissiong of fire extinguishing equipment ·········· (28)
　8.4　Linkage commissioning of fire protection system
　　　for wind farm ··································· (29)
9　Acceptance ··· (30)
　9.1　General requirements ····························· (30)
　9.2　Documentation verification ························ (31)
　9.3　Project quality acceptance ······················· (31)
10　Maintenance and management ························· (33)
　10.1　General requirements ···························· (33)
　10.2　Use and maintenance ···························· (33)
Appendix A　The quality management checklist for
　　　　　　fire protection system of wind turbines
　　　　　　on construction site ······················· (35)
Appendix B　The construction record for fire protection
　　　　　　system of wind turbines ····················· (36)
Appendix C　The commissiong record for fire protection
　　　　　　system of wind turbines ····················· (40)
Appendix D　The Acceptance record for fire protection
　　　　　　system of wind turbines ····················· (42)
Appendix E　The daily maintenance and inspection
　　　　　　record for fire protection system of
　　　　　　wind turbines ································ (44)
Explanation of wording in this specification ············· (46)
List of quoted standards ······························· (47)
Addition:Explanation of provisions ······················· (49)

1 总　　则

1.0.1 为规范风力发电机组消防系统的设计、施工、调试、验收和维护管理，预防风力发电机组火灾事故，减少火灾危害，保护人身和财产安全，制定本规程。

1.0.2 本规程适用于新建、改建和扩建风力发电场中风力发电机组消防系统的设计、施工、调试、验收和维护管理。风力发电机组在整机出厂前预装消防系统装置的，其消防系统的设计、施工、调试、验收和维护管理应按本规程执行。

1.0.3 风力发电机组消防系统的设计、施工、验收和维护管理，应遵循国家的有关方针和政策，做到安全可靠、技术先进、经济合理。

1.0.4 风力发电机组消防系统的设计、施工、调试、验收和维护管理，除应执行本规程外，尚应符合国家现行有关标准的规定。

2 术　　语

2.0.1 风力发电机组　wind turbine generator system
将风的动能转换为电能的系统。

2.0.2 机舱　nacelle
在水平轴风力发电机组塔架顶部，包容传动系统和其他装置的整个箱体。

2.0.3 轮毂　hub
将叶片或叶片组固定到转轴上的装置。

2.0.4 塔架　tower
支撑风力发电机组叶片、轮毂和机舱的结构。

2.0.5 防护单元　protective unit
满足火灾报警和/或灭火控制要求的有限空间。

2.0.6 工作温度　operation temperature
设备正常运行允许的环境温度范围。

2.0.7 生存温度　survival temperature
设备设计中采用的极端环境温度范围，在该温度范围内设备不会损坏。

2.0.8 缆式线型感温探测器　cable line-type heat detector
采用缆式线结构的线型感温探测器。

2.0.9 吸气式感烟火灾探测器　aspirating smoke detector
采用吸气工作方式获取探测区域火灾烟参数的感烟探测器。

2.0.10 图像型火灾探测器　image type fire detector
使用摄像机、红外热成像器件等视频设备或它们的组合方式获取监控对象视频信息，进行火灾探测的探测器。

2.0.11 火灾报警控制器　fire alarm control unit/fire control

and indicating equipment

作为火灾自动报警系统的控制中心，能够接收并发出火灾报警信号和故障信号，同时完成相应的显示和控制功能的设备。

2.0.12 火灾警报装置 fire alarm signaling device

与火灾报警控制器分开设置，火灾情况下能够发出声和/或光火灾警报信号的装置。又称声和/或光警报器。

2.0.13 消防联动控制器 automatic control equipment for fire protection

接收火灾报警控制器或其他火灾触发器件发出的火灾报警信号，根据设定的控制逻辑发出控制信号，控制各类消防设备实现相应功能的控制设备。

2.0.14 灭火控制装置 fire control devices

能直接或间接接受火灾报警信号，并对驱动装置及其他联动设备下达动作指令的装置。

2.0.15 预制灭火系统 pre-engineered systems

按一定的应用条件，将灭火剂储存装置和喷放组件等预先设计、组装成套且具有联动控制功能的灭火系统。通常包括柜式灭火装置(系统)和悬挂式灭火装置。

2.0.16 干粉灭火装置 dry chemical fire extinguishing equipment

固定安装在保护区域，能通过自动探测启动或控制装置手动启动，由驱动介质(气体或燃气)驱动干粉灭火剂实施灭火的装置。

2.0.17 热气溶胶灭火装置 condensed aerosol fire extinguishing device

使气溶胶发生剂通过燃烧反应产生气溶胶灭火剂的装置。通常由引发器、气溶胶发生剂和发生器、冷却装置(剂)、反馈元件、外壳及与之配套的火灾探测器和控制装置组成。

2.0.18 气体灭火系统 gas fire extinguishing system

由气体作为灭火介质的灭火系统。通常由气体灭火剂储存装置、喷嘴和管路等组成。

2.0.19 柜式气体灭火装置 cabinet gas fire extinguishing equipment

由气体灭火剂瓶组、管路、喷嘴、信号反馈部件、检漏部件、驱动部件、减压部件(氮气、氩气灭火装置)、火灾探测部件、控制器组成的能自动探测并实施灭火的柜式灭火装置。火灾探测部件、控制器可与柜体分装。

2.0.20 悬挂式气体灭火装置 hanging gas fire extinguishing equipment

由灭火剂贮存容器、启动释放组件、悬挂支架(座)等组成可悬挂或壁挂式安装,能自动或手动(电气启动或机械应急启动)启动喷放气体灭火剂的灭火装置。

2.0.21 探火管 fire detection tube

可自动探测火灾、启动灭火装置并能输送灭火剂的充压非金属软管。

2.0.22 探火管式灭火装置 extinguishing equipment with fire detection tube

采用探火管自动探测火灾并能启动喷射的预制灭火装置。

2.0.23 直接探火管式灭火装置 direct extinguishing equipment with fire detection tube

将探火管作为火灾探测、装置启动、灭火剂释放部件的灭火装置。

2.0.24 全淹没灭火方式 total flooding extinguishing way

在规定的时间内,向防护单元喷放设计用量的灭火剂,并使其均匀地充满整个防护单元的灭火方式。

2.0.25 局部应用灭火方式 local application extinguishing way

以设计喷射强度向保护对象直接喷射灭火剂,并持续一定时间的灭火方式。

3 防护单元

3.1 防护单元划分

3.1.1 风力发电机组应按内部空间结构划分防护单元,每个防护单元应具有完整的封闭空间,形成一个独立的探测区域和(或)灭火区域。

3.1.2 风力发电机组各部位划分防护单元应按下列规定执行:

    1 轮毂及导流罩宜为一个防护单元;

    2 机舱(含机舱平台底板下部)宜为一个防护单元;

    3 塔架内宜按平台划分防护单元,其中塔架底部设备层应每层为一个防护单元;

    4 每个相对密闭的各类电气柜均应为一个防护单元。

3.2 防护单元防火保护

3.2.1 风力发电机组的防火保护应符合下列基本规定:

    1 风力发电机组所采用的阻燃材料燃烧性能等级及要求应符合现行国家标准《建筑材料及制品燃烧性能分级》GB 8624 的相关规定,且不得低于 B1 级。

    2 风力发电机组采用的防火封堵材料除应符合现行国家标准《防火封堵材料》GB 23864 的相关规定外,尚应符合风力发电机组的工况环境条件要求。

    3 风力发电机组中的动力电缆应采用阻燃电缆,其耐火等级应符合现行行业标准《阻燃及耐火电缆 塑料绝缘阻燃及耐火电缆分级和要求 第 1 部分:阻燃电缆》GA 306.1 的相关规定;控制电缆宜采用耐火电缆,其耐火等级应符合现行行业标准《阻燃及耐火电缆 塑料绝缘阻燃及耐火电缆分级和要求 第 2 部分:耐火电缆》GA 306.2 的相关规定；动力电缆和控制电缆也可采用矿物绝缘类不燃性电缆。

3.2.2 风力发电机组各防护单元和重点防护部位的阻燃防火保护应符合下列规定：

  1 风力发电机组的机舱、轮毂、电缆桥架、通风管道、隔声、保温和密封件等材料的燃烧性能宜为 A 级，当确有困难时，不得低于 B1 级。

  2 刹车系统应有防止火花飞溅的措施。

3.3 安 全 要 求

3.3.1 防护单元内（电气柜、轮毂及导流罩除外）宜设应急照明与疏散指示标志和火灾声光警报器。通过控制装置启动灭火的防护单元，其入口处应设紧急启动和紧急停止按钮、灭火剂喷放指示灯。

3.3.2 防护单元（电气柜、轮毂及导流罩除外）的入口应设置标有灭火剂类型的永久性标志牌。

3.3.3 灭火后的防护单元应通风换气，无门窗的塔底设备层防护单元宜设置机械排风装置，排风口宜直通室外或通向带有塔架入口门的防护单元，通风换气次数不应小于每小时 5 次。

3.3.4 在机舱和塔架内应设置应急逃生装置，火灾时禁止使用电梯。

3.3.5 防护单元的其他安全要求尚应符合国家现行标准《气体灭火系统设计规范》GB 50370、《二氧化碳灭火系统设计规范》GB 50193 和《干粉灭火装置技术规程》CECS 322、《探火管灭火装置技术规程》CECS 345 的有关规定。

4 系统选型

4.1 环境适用条件

4.1.1 风力发电机组消防系统的使用环境温度应符合下列规定：

1 标准型（常温型）风力发电机组采用的消防系统，其工作温度范围：-20℃～+45℃，生存温度范围：-30℃～+50℃；

2 低温型风力发电机组采用的消防系统，其工作温度范围：-30℃～+45℃，生存温度范围：-40℃～+50℃；

3 高温型风力发电机组采用的消防系统，其工作温度范围：0℃～+50℃，生存温度范围：-10℃～+60℃；

4 当用于其他类型的风力发电机组时，其工作温度范围和生存温度范围应满足相关机组的工况环境要求。

4.1.2 距海岸线或盐湖湖泊 25km 以内的风力发电机组采用的消防系统，应符合现行国家标准《环境条件分类 环境参数组分类及其严酷程度分级 船用》GB/T 4798.6 的有关规定。

4.1.3 海拔高度超过 1000m 时，风力发电机组采用的消防系统，应符合现行国家标准《特殊环境条件 高原电工电子产品 第1部分：通用技术要求》GB/T 20626.1 的有关规定。

4.2 系统设备选型

4.2.1 风力发电机组消防系统的设备选型，应与风力发电机组安装地域的环境条件和机组的运行工况相适应，并应满足本规程第4.1节的规定，必要时应采取相应的加温、降温及防腐等措施。

4.2.2 风力发电机组的防护单元和下列部位应设置火灾探测器：

1 机舱及机舱平台底板下部；

2 塔架及竖向电缆桥架；

  3 塔架底部设备层；
  4 各类电气柜。

4.2.3 风力发电机组的防护单元和下列部位应设置自动灭火装置（系统）：
  1 机舱及机舱平台底板下部；
  2 轮毂及导流罩；
  3 塔架底部设备层；
  4 各类电气柜。

4.2.4 风力发电机组各防护单元和探测部位对火灾探测器的选型，宜按表4.2.4的规定执行。

表 4.2.4 火灾探测器选型

探测部位	火灾探测器类型		
	吸气式感烟探测器	图像型火灾探测器	缆式线型感温探测器
轮毂及导流罩	—	—	—
机舱	●	●	●
机舱平台底板下部	●	○	●
塔架及竖向电缆桥架	○	●	●
塔架底部设备层	●	●	●
各类电气柜	●	○	●

  注："●"—推荐；"○"—不推荐；"—"—不要求。

4.2.5 风力发电机组各防护单元对灭火装置的选型，宜按表4.2.5的规定执行。

表 4.2.5 灭火装置选型

机组类型	防护单元	灭火装置类型			
		干粉灭火装置	热气溶胶灭火装置	气体灭火装置（系统）	
				高压二氧化碳	七氟丙烷
标准型风力发电机组	轮毂及导流罩	●	●	○	○
	机舱	●	●	●	●

续表 4.2.5

机组类型	防护单元	灭火装置类型			
		干粉灭火装置	热气溶胶灭火装置	气体灭火装置(系统)	
				高压二氧化碳	七氟丙烷
标准型风力发电机组	机舱平台底板下部	●	●	●	●
	塔架	○	○	○	○
	塔架底部设备层	●	●	●	●
	各类电气柜	○	●	▲	▲
低温型风力发电机组	轮毂及导流罩	●	●	○	○
	机舱	●	●	○	○
	机舱平台底板下部	●	●	○	○
	塔架	○	○	○	○
	塔架底部设备层	●	●	○	○
	各类电气柜	○	●	○	○
高温型风力发电机组	轮毂及导流罩	●	●	○	○
	机舱	●	●	●	●
	机舱平台底板下部	●	●	●	●
	塔架	○	○	○	○
	塔架底部设备层	●	●	●	●
	各类电气柜	○	●	▲	▲

注："●"—推荐；"○"—不推荐；"▲"—除热气溶胶外，也可推荐使用二氧化碳探火管式灭火装置和七氟丙烷探火管式灭火装置。

5 装置组件

5.1 一般规定

5.1.1 风力发电机组消防系统采用的火灾探测器、火灾报警控制器、灭火控制装置、消防联动控制器、灭火装置(系统)及相关组件,除应符合国家现行标准《火灾报警控制器》GB 4717、《特种火灾探测器》GB 15631、《线型感温火灾探测器》GB 16280、《消防联动控制系统》GB 16806、《柜式气体灭火装置》GB 16670、《气体灭火系统及部件》GB 25972、《探火管式灭火装置》GA 1167、《固定灭火系统驱动、控制装置通用技术条件》GA 61、《干粉灭火装置》GA 602、《气溶胶灭火系统 第1部分:热气溶胶灭火装置》GA 499.1和《悬挂式气体灭火装置》GA 13 等的有关规定外,尚应符合本规程第 4.1 节的规定。

5.1.2 安装在风力发电场控制中心内的火灾报警控制器与消防联动控制装置,其工作温度范围应为 0℃~50℃,湿度不应大于93%。

5.2 火灾探测器

5.2.1 风力发电机组中采用的吸气式感烟火灾探测器除应符合下列规定外,尚应符合现行国家标准《特种火灾探测器》GB 15631的规定。

1 应采用管路采样式高灵敏型吸气式感烟火灾探测器;
2 应具备记录功能,能查询烟雾浓度变化趋势;
3 应提供绝对烟雾浓度数值并能实现多级报警功能;
4 应具有通信及联网功能,可向火灾报警控制器传送火警、故障、烟雾浓度值等信息,并能联网集中监控;

5 在风沙较重地区或近海、海上区域的风力发电机组应用时,应具有加强的空气过滤功能和探测器自清洁功能。

5.2.2 风力发电机组中采用的图像型火灾探测器除应符合下列规定外,尚应符合现行国家标准《特种火灾探测器》GB 15631 的规定。

1 应具有在小空间内识别烟雾和火焰的能力,并能分别发出相应的火灾报警信号,报警时能够标识出烟雾和火焰的部位;

2 应能够适应明亮及全黑环境;

3 应具有通信功能,可以向火灾报警控制器传递视频、火警、故障等信息。

5.2.3 风力发电机组中采用的缆式线型感温火灾探测器除应符合下列规定外,尚应符合现行国家标准《线型感温火灾探测器》GB 16280 的规定:

1 应具有耐油侵蚀、金属屏蔽特性;

2 应具备连续测温功能和短路报故障功能;

3 应具有通信功能,可以向火灾报警控制器传递火警、故障等信息。

5.2.4 风力发电机组中采用的其他类型的火灾探测器,其特性参数应由具有相应资质的机构根据风力发电机组的特殊工况条件进行相应的试验验证确定。试验应主要包括温度、湿度、腐蚀和振动等相关环境条件试验与机舱模拟火灾报警试验两大部分。

5.3 火灾报警控制器与灭火控制装置

5.3.1 风力发电场总控制室采用的集中火灾报警控制器与联动控制器应能显示每台风力发电机组的火灾报警控制器与灭火控制装置的火灾报警和运行状态信息,应具有对每台风力发电机组火灾报警控制器与灭火控制装置的紧急启动和紧急停止控制功能、对所有联动控制设备的逻辑编程控制功能、对所有火灾探测器的监控和屏蔽功能。

5.3.2 每台风力发电机组采用的火灾报警控制器应具有对本机组的火灾探测器、灭火控制装置和相关联动控制设备的自动控制和状态显示功能。

5.3.3 配备图像型火灾探测器的火灾报警系统,应设有视频显示和录像存储功能,显示屏不宜小于21吋,录像存储时间不应小于30d。

5.3.4 火灾报警控制器与灭火控制装置的其他性能要求,尚应符合国家现行标准《火灾报警控制器》GB 4717、《消防联动控制系统》GB 16806和《固定灭火系统驱动、控制装置通用技术条件》GA 61等的相关规定。

5.4 灭火装置组件

5.4.1 风力发电机组中采用的干粉灭火装置除应符合下列规定外,尚应符合现行行业标准《干粉灭火装置》GA 602的规定。

　　1 应具有自动控制和感温自启动两种启动方式;

　　2 悬挂式安装的单具干粉灭火装置的灭火剂质量不宜大于5kg;

　　3 应具有启动信号反馈功能。

5.4.2 风力发电机组中采用的热气溶胶灭火装置除应符合下列规定外,尚应符合现行行业标准《气溶胶灭火系统 第1部分:热气溶胶灭火装置》GA 499.1的规定。

　　1 宜具有自动控制和感温自启动两种启动方式;

　　2 无自动控制方式的热气溶胶灭火装置,应具有双引发自启动功能;

　　3 悬挂式安装的单台热气溶胶灭火装置的灭火剂质量不宜大于5kg;

　　4 灭火剂喷放时间应不大于30s;

　　5 应具有启动信号反馈功能。

5.4.3 风力发电机组中采用的气体灭火装置(系统)除应符合下

列规定外,尚应符合国家现行标准《柜式气体灭火装置》GB 16670、《悬挂式气体灭火装置》GA 13 和《气体灭火系统及部件》GB 25972 的规定。

  1 宜采用柜式气体灭火装置(系统)和悬挂式气体灭火装置等预制灭火装置(系统),灭火剂宜选用二氧化碳和七氟丙烷;

  2 宜具有自动控制、手动控制和机械应急操作三种启动方式;

  3 应有灭火剂喷洒信号反馈装置、灭火剂检漏信号反馈装置和接地装置;

  4 单台悬挂式气体灭火装置的灭火剂质量不宜超过 5kg。

5.4.4 风力发电机组采用的探火管式灭火装置除应符合下列规定外,尚应符合现行行业标准《探火管式灭火装置》GA 1167 和现行协会标准《探火管灭火装置技术规程》CECS 345 的规定。

  1 宜采用二氧化碳和七氟丙烷等灭火剂;

  2 应有灭火剂喷洒反馈装置和压力缺失信号反馈装置;

  3 直接探火管式灭火装置可采用感温自启动方式,间接探火管式灭火装置应有感温自启动和机械应急操作两种启动方式;

  4 容器阀与探火管连接处应设检修关断用的阀门或机构,并设有阀门或机构的位置状态警示装置;

  5 探火管管道上应设检漏压力表,其标度盘应设红绿区。

5.4.5 风力发电机组中采用的其他类型的灭火剂及灭火装置,其特性参数应由具有相应资质的机构根据风力发电机组的特殊工况条件进行相应的试验验证确定。试验应主要包括温度、湿度、腐蚀和振动等相关环境条件试验与机舱模拟火灾灭火试验两大部分。

6 系统设计

6.1 一般规定

6.1.1 设计时首先应确认风力发电机组运行的工况环境、地域、气候，按本规程第 4 章的规定对消防系统进行选型。

6.1.2 应根据风力发电机组的结构特点以及选用的火灾探测器和灭火装置的应用特性，按本规程第 3.1 节的规定把一台风力发电机组划分为多个防护单元。

6.1.3 对双馈式、直驱式等类型的风力发电机组，应结合机组的结构特点和设备布置情况，确定适宜的设计方案。双馈式机组机舱应采用全淹没灭火方式；直驱式机组机舱宜采用全淹没灭火方式，也可采用局部应用灭火方式；机组塔底设备层宜采用全淹没灭火方式；机组的各类电气柜应采用全淹没灭火方式。对其他类型的风力发电机组，应结合其自身结构特点和设备布置情况，选择适宜的灭火方式。

6.1.4 风力发电场总控制室内，集中火灾报警控制器与联动控制器应利用风力发电场生产控制网络实现对每台风力发电机组消防系统的远程监控功能。在设计风力发电场生产控制网络系统时，应为风力发电机组消防系统的远程监控功能留有足够的光纤芯作为数据通道；当受工程条件限制时，宜采用风力发电场生产控制网络系统备用光纤进行信号传输。

6.1.5 当在机舱、塔架和塔架底部设备层等防护单元设置干粉或热气溶胶灭火装置时，应采用自动控制和感温自启动两种启动方式；当在机舱、塔架和塔架底部设备层等防护单元设置气体灭火装置（系统）时，宜采用自动控制、手动控制和机械应急操作三种启动方式；当在轮毂及导流罩、电气柜等防护单元设置热气溶胶灭火装置或探火管式灭火装置时,宜采用感温自启动方式;各个防护单元的所有灭火装置(系统)的启动信号均应反馈到风力发电场总控制室(轮毂及导流罩内的除外)。

6.1.6 当设置自动灭火系统时,火灾报警系统应采用同类型或不同类型的探测器组合,并应设置紧急启动和紧急停止按钮。当同一防护单元内两路探测器动作报警或紧急启动按钮动作时,启动联动控制程序实施灭火;同时联动控制该风力发电机组解列、停机、关闭通风系统、控制电梯回降首层平台开门停用、监控系统切换至相关部位的摄像头以及其他需要联动的相关设施。

6.1.7 采用全淹没灭火保护的防护单元的围护结构及门窗的耐火极限、围护结构的承压能力、泄压口位置和面积等,应满足国家现行标准《气体灭火系统设计规范》GB 50370、《二氧化碳灭火系统设计规范》GB 50193、《干粉灭火装置技术规程》CECS 322 和《探火管灭火装置技术规程》CECS 345 的相关规定。

6.2 火灾探测器

6.2.1 吸气式感烟火灾探测器的设置应符合下列规定:

1 设置在风力发电机组中的机舱和塔架底部设备层(一层、负一层等)时,应分别设定探测区域;

2 采样管路应在机舱顶部和设备层等防护单元的顶部均匀铺设,机舱平台底板下部有电缆夹层结构时宜在电缆夹层上部增设采样管和采样孔,在容易发生火灾部位的上方和靠近排风口部位宜增设采样管和采样孔;

3 采样管路宜采用不锈钢管、经阻燃处理和无毒的 PVC 或 ABS 管;

4 采样管路的总长不宜超过 200m,单管长度不宜超过 100m;采样孔总数不宜超过 100 个,单管上的采样孔数量不宜超过 25 个;每个采样孔的保护面积、保护半径应符合点型感烟火灾探测器的保护面积、保护半径的要求;

5 当采样管道采用毛细管布置方式时,毛细管长度不宜超过4m;
　　6 吸气管路和采样孔应有明显的火灾探测器标识;
　　7 采样管网应按经过确认的设计软件或方法进行设计。
6.2.2 图像型火灾探测器的设置应符合下列规定:
　　1 对机舱和塔底设备层等防护单元进行空间保护时,应选择适宜的探测器最大探测视角及最大探测距离,避免出现探测死角;探测器的设置数量和设置部位应确保能够覆盖被防护单元的全部空间;
　　2 当有高大设备且布置密集导致探测死角无法避免时,可在适当部位加设镜面反射板,其几何尺寸和设置部位应确保能够把所有探测死角的图像反射到探测器的探测窗口;
　　3 探测器的探测区内不应存在固定或流动的遮挡物;
　　4 应避免光源和太阳光直接照射在探测器的探测窗口。
6.2.3 缆式线型感温火灾探测器的设置应符合下列规定:
　　1 应设置在电缆桥架、机舱平台底板下部电缆夹层、发电机、主轴总成、储油池及齿轮箱等部位;
　　2 应对机舱和塔底设备层(一层、负一层及以下)分别设定探测区域;
　　3 当探测器在电缆及电缆桥架或支架上设置时,宜采用接触式布置,呈正弦波形或S形,探测器应覆盖整个电缆桥架和所有电缆;当在发电机组、变压器、电抗器、主轴总成、储油池及齿轮箱等重要设施上设置时,宜采用缠绕式布置,应覆盖被探测对象的主要部位;探测器的保护半径应符合点型感温火灾探测器的保护半径要求;
　　4 探测器的转换盒和终端盒应设置在防护区出入口附近;
　　5 当设置线型感温火灾探测器的防护单元有联动要求时,可采用具有多级报警功能的同一只线型感温火灾探测器的两级报警信号作为联动触发信号。

6.2.4 其他类型火灾探测器的设置,应依据相关技术标准并满足风力发电机组的实际情况需要。

6.2.5 火灾探测器的设置尚应符合现行国家标准《火灾自动报警系统设计规范》GB 50116 的有关规定。

6.3 灭火装置

6.3.1 干粉灭火装置的设置除应符合下列规定外,尚应符合国家现行标准《干粉灭火装置技术规程》CECS 322 和《干粉灭火装置》GA 602 的规定。

  1 当用于对某一防护单元进行全空间保护时,应采用全淹没灭火方式,且宜采用超细干粉灭火剂,防护单元的开口面积、围护结构和门窗的耐火极限等应符合现行协会标准《干粉灭火装置技术规程》CECS 322 的规定;当用于对防护单元内某一设备或部件进行保护时,宜采用局部应用灭火方式;

  2 干粉灭火装置的灭火剂用量计算和配置数量应按现行协会标准《干粉灭火装置技术规程》CECS 322 的规定执行;

  3 悬挂式灭火装置宜安装在防护单元的侧壁和顶部,宜居中布置,设置多具时宜均匀布置;

  4 当采用局部应用灭火方式时,保护对象周围的空气流动速度不宜大于 2m/s;

  5 当同一防护单元内设置多具干粉灭火装置时,采用的干粉灭火装置总数、灭火剂总用量、启动时间间隔和总启动时间等均应符合现行协会标准《干粉灭火装置技术规程》CECS 322 的规定;

  6 任意一具干粉灭火装置启动后,启动信号应反馈到风力发电场总控制室。

6.3.2 热气溶胶灭火装置的设置除应符合下列规定外,尚应符合现行国家标准《气体灭火系统设计规范》GB 50370 的规定。

  1 防护单元空间应相对封闭,当有通风口和排风机时,应在灭火药剂喷放前自动关闭;

2 应采用全淹没灭火方式,热气溶胶的灭火设计密度和灭火剂用量应按现行国家标准《气体灭火系统设计规范》GB 50370 的相关规定计算确定,并不应小于生产单位标称灭火密度的 1.5 倍;当在机舱等防护单元确有部分开口无法封闭时,应根据开口情况适当增加灭火剂用量,必要时,应由具有相应资质的机构根据具体情况进行相应的灭火试验验证确定;

3 机舱(含机舱平台底板下部)和塔架底部设备层等防护单元应采用具有自动控制和感温自启动功能的热气溶胶灭火装置;轮毂及导流罩、配电柜、变频柜、控制柜等空间相对密闭的电气柜宜采用具有感温自启动功能的热气溶胶灭火装置;感温自启动装置应靠近防护单元的顶部设置;

4 灭火装置宜安装在防护单元的顶部,宜居中布置,设置多具时宜均匀布置;

5 当同一防护单元内设置多台热气溶胶灭火装置时,任意一台热气溶胶灭火装置的自启动装置动作后,应能同时联动本单元内所有热气溶胶灭火装置在 2s 内全部启动;

6 同一防护单元内的多台热气溶胶灭火装置之间的电启动线路应采用串联连接;

7 任意一台热气溶胶灭火装置(轮毂及导流罩内的除外)启动后,启动信号应反馈到风力发电场总控制室。

6.3.3 柜式和悬挂式气体灭火装置(系统)的设置除应符合下列规定外,尚应符合现行国家标准《气体灭火系统设计规范》GB 50370 和《二氧化碳灭火系统设计规范》GB 50193 的规定。

1 机舱内部和塔架底部设备层应采用全淹没灭火方式;应根据风力发电机组的工况环境条件、防护单元内部空间结构、设备布置情况等合理选择柜式和悬挂式七氟丙烷气体灭火装置(系统)以及柜式二氧化碳气体灭火装置(系统);

2 柜式气体灭火装置(系统)的灭火剂贮存装置可设置在防护单元内,也可设置在与防护单元相邻的适当位置;悬挂式气体灭

火装置应设置在防护单元的顶部或侧壁,宜居中布置,使用多具装置时,宜均匀布置;

3 七氟丙烷和二氧化碳灭火剂用量计算应分别按现行国家标准《气体灭火系统设计规范》GB 50370 和《二氧化碳灭火系统设计规范》GB 50193 的规定执行;

4 防护单元空间应相对封闭,其开口面积不应超过现行国家标准《气体灭火系统设计规范》GB 50370 和《二氧化碳灭火系统设计规范》GB 50193 的相关规定;

5 同一防护单元内采用多台灭火装置的,任意一台灭火装置启动时,应能同时联动本防护单元内所有灭火装置在 2s 内全部启动;灭火装置启动后,启动信号应反馈到风力发电场总控制室。

6.3.4 探火管式灭火装置的设置除应符合下列规定外,尚应符合现行协会标准《探火管灭火装置技术规程》CECS 345 的规定。

1 当用于保护变桨控制柜、主控柜、变频柜、电容柜等空间相对密闭的电气柜时,宜选用直接探火管式灭火装置;

2 七氟丙烷直接探火管式灭火装置保护的防护单元最大单体容积不应大于 $6m^3$;二氧化碳直接探火管式灭火装置保护的防护单元最大单体容积不应大于 $3m^3$;

3 灭火剂用量计算应按现行协会标准《探火管灭火装置技术规程》CECS 345 的规定执行;

4 探火管式灭火装置启动后,启动信号应反馈到风力发电场总控制室。

6.3.5 其他类型灭火装置(系统)的设置,应依据国家现行相关标准并满足风力发电机组的实际情况需要。

6.4 火灾报警控制器与灭火控制装置

6.4.1 每台风力发电机组均应设置火灾报警与灭火控制系统,火灾报警控制器与灭火控制装置应设置在塔筒底部人员出入口附近。

6.4.2 每个风力发电场应至少设置一台集中火灾报警控制器与联动控制器,并应设置在风力发电场总控制室内;集中火灾报警控制器的报警点位与联动控制器的控制回路应留有适当余量。

6.4.3 当采用自动灭火系统时,消防联动控制程序应与风力发电场的生产控制程序相协调。

6.4.4 系统供电和接地装置的设置,应按照现行国家标准《火灾自动报警系统设计规范》GB 50116 的规定执行。

6.4.5 火灾报警控制器与灭火控制装置的设置尚应符合现行国家标准《火灾自动报警系统设计规范》GB 50116 的规定。

6.5 布　　线

6.5.1 机组内消防系统的传输线路应采用金属管、可挠(金属)电气导管、金属封闭线槽、B1级以上的钢性塑料管或封闭式线槽保护。矿物绝缘类不燃性电缆可直接明敷。

6.5.2 火灾自动报警系统的供电线路、消防联动控制线路应采用耐火铜芯电线电缆,且宜采用屏蔽型电缆;报警总线、火灾警报装置等传输线路应采用阻燃或阻燃耐火电线电缆。

6.5.3 从机舱到塔架底部,宜采用矿物绝缘类不燃性电缆直接敷设,且在机舱与塔架的连接处应有线路防扭曲措施。

6.5.4 机组与机组之间、机组与控制室之间,消防系统宜利用风力发电场生产控制网络线路连接,其布线和接口应符合风力发电场的相关技术要求。

6.5.5 消防系统布线尚应符合现行国家标准《火灾自动报警系统设计规范》GB 50116 的规定。

6.6 防火封堵材料

6.6.1 风力发电机组各防护单元的下列部位应设置防火封堵材料:

　　1 各类电气柜的电缆进出口;

2 电缆穿线孔洞(含塔架内各层平台穿线孔);
3 两个相邻防护单元之间的连接孔洞;
4 中控室控制柜和变配电电缆沟等。

6.6.2 防火封堵设置,应按电缆贯穿孔洞状况和条件,采用相适合的防火封堵材料或防火封堵组件。对小孔洞封堵时,宜采用柔性有机堵料;对大孔洞封堵时,宜采用柔性有机堵料和阻火包等相结合。

6.6.3 防火封堵材料的使用,对电缆不得有腐蚀和损害。用于电力电缆时,宜使用对载流量影响较小的防火封堵材料。

6.6.4 防火封堵材料的性能尚应符合现行国家标准《防火封堵材料》GB 23864 的规定。防火封堵材料的设置尚应符合国家现行标准《电力工程电缆设计规范》GB 50217、《火力发电厂与变电站设计防火规范》GB 50229 和《建筑防火封堵应用技术规程》CECS 154 的规定。

7 系统安装

7.1 一般规定

7.1.1 风力发电机组消防系统施工前应具备下列条件：

1 有完整的工程设计施工图、设计说明、设备表、材料表等技术文件；

2 设计单位应向施工、建设、监理单位进行设计交底；

3 所选用的设备和材料的型号、规格、数量应与设计要求一致；

4 各组件上的铭牌应清晰、完整；

5 各组件应无碰撞变形及其他机械性损伤，表面应无锈蚀，保护层完好，保险铅封应完整；

6 施工现场及施工中使用水、电、道路应满足施工要求，并保证连续施工；

7 各类消防设备的安装紧固装置应在施工前预制完备，不宜在现场加工制作；

8 施工中，在机舱和塔筒内部不宜进行电气焊等动火作业，对必须进行动火作业的，应采取可靠的消防保护措施，制定落实动火作业审批制度。

7.1.2 风力发电机组消防系统应按批准的工程设计文件和施工技术标准进行施工，不得随意变更。当需要变更时，应由原设计单位负责变更。

7.1.3 施工必须由具有相应资质等级的施工单位承担，施工单位应严格进行施工现场质量管理，并按本规程附录 A 中表 A 填写施工现场质量管理检查表。

7.1.4 施工前应做好消防系统设备材料进场检验工作，包括对各类消防设备、材料的型号、规格、数量、合格证、材质证明和符合市场准入制度要求的有效证明文件等进行检查,应符合工程设计要求以及相关国家和行业标准的规定,外观应无加工缺陷和机械损伤,并按本规程附录B中表B.0.1填写相应记录。

7.1.5 施工过程中,应及时对火灾报警与联动控制系统、灭火装置(系统)和防火封堵的施工过程质量进行检查,并按本规程附录B中表B.0.2、表B.0.3和表B.0.4填写相应记录。

7.2 探测装置和控制装置的安装

7.2.1 吸气式感烟火灾探测器的安装应符合下列规定:

1 采样管和采样孔的布置应符合设计要求,采样管应安装牢固。

2 当在吸气管上增设空气过滤装置时,应安装在吸气管靠近探测器吸气口一侧,且便于维护更换的部位;当在吸气管上加装吹扫套件时,其安装位置应有利于对全部吸气管的吹扫。

3 当采用毛细管探测变桨控制柜、配电柜、变频柜、主控柜等相对密闭的电气柜时,采样管应设置在每个电气柜上方,并从采样管下部引出毛细管;毛细管宜垂直插入每个柜体上部并与柜体固定牢靠;毛细管插入深度不宜超过100mm。

7.2.2 图像型火灾探测器的安装应符合下列规定:

1 宜采用壁挂式安装或吸顶式安装;安装位置和安装角度应避开遮挡物,避免产生探测盲区和死角,同时应避免光源直接照射在探测器的探测窗口上;

2 需要在高大设备的背面安装镜面反射板时,应把反射板安装在防护单元侧壁或其他适当部位,但不得影响机组设备的正常运行和日常维护;

3 图像型火灾探测器在安装中应采取有效的减振措施,避免机组设备运行振动对火灾探测报警的影响。

7.2.3 缆式线型感温火灾探测器的安装应符合下列规定:

1 应紧贴被保护物体表面安装,并应固定牢靠;

2 在电缆及电缆桥架上敷设部位应符合设计要求;当采取正弦波形或S形方式安装时,线型感温火灾探测器宜采用尼龙扎带和其他专用卡具等与被保护的电缆和电缆桥架固定牢靠;

3 在发电机组、变压器、电抗器、主轴总成及齿轮箱等重要设施上敷设部位应符合设计要求;当采用缠绕方式敷设时,宜采用磁扣和其他专用卡具固定牢靠,但不得影响保护对象的正常运行和维护;

4 探测器的最小弯曲半径应符合其技术文件要求;

5 探测器的转换盒和终端盒的安装位置应符合设计要求,安装高度宜距离防护单元地(板)面1.3m～1.5m,便于观察和维护。

7.2.4 风力发电场总控制室设置的集中火灾报警控制器与联动控制器应采用落地式安装方式;风力发电机组的火灾报警控制器与灭火控制装置宜采用壁挂式安装方式,并应采取加固措施。

7.2.5 探测装置和控制装置的安装尚应符合现行国家标准《火灾自动报警系统施工及验收规范》GB 50166的规定。

7.3 灭火装置的安装

7.3.1 干粉灭火装置的安装应符合下列规定:

1 干粉灭火装置的安装位置和喷射方向应符合设计要求,并应避开遮挡物;

2 施工中,应确保各组件的完整性,严禁擅自拆卸装置组件;

3 各组件的安装方式应牢固可靠;

4 干粉灭火装置的安装尚应符合现行协会标准《干粉灭火装置技术规程》CECS 322的规定。

7.3.2 热气溶胶灭火装置的安装应符合下列规定:

1 灭火装置宜采取悬挂式安装,安装位置应符合设计要求,安装方式应牢固可靠;

2 当在机舱和塔底设备层安装时,喷口前1m内不应有可燃物；当在电气柜内安装时，喷口应避开电气元件；

  3 施工中，应确保各组件的完整性，严禁擅自拆卸装置组件；

  4 热气溶胶灭火装置的安装尚应符合现行国家标准《气体灭火系统施工及验收规范》GB 50263 的规定。

7.3.3 柜式和悬挂式气体灭火装置的安装除应符合下列规定外，尚应符合现行国家标准《气体灭火系统施工及验收规范》GB 50263 的规定。

  1 柜式气体灭火装置宜安装在防护单元或其相邻部位的地板上，安装位置符合设计要求，安装方式应牢固可靠；宜靠近防护单元侧壁居中布置，正面宜留有不小于 1m 的维护距离；

  2 悬挂式气体灭火装置应安装在防护单元的顶部或侧壁，安装在侧壁时，应靠近防护单元的顶部安装；安装位置应符合设计要求，宜居中布置，使用多具装置时，宜均匀布置；安装方式应牢固可靠；

  3 施工中，应确保各组件的完整性，严禁擅自拆卸装置组件。

7.3.4 探火管式灭火装置的安装除应符合下列规定外，尚应符合现行协会标准《探火管灭火装置技术规程》CECS 345 的规定。

  1 灭火剂贮存容器应直立安装在保护对象附近，当保护电气柜时宜直接固定在柜体侧壁，安装方式应牢固可靠；

  2 探火管应按设计要求敷设，并应采用专用管夹固定，固定措施应保证探火管牢固、工作可靠；

  3 探火管宜布置在保护对象的正上方，且距离不应大于 600mm；若探火管布置在保护对象的侧方或下方，其距离不应大于 160mm；探火管的弯曲半径不宜小于 15 倍其外径；探火管之间的距离不应大于 1m；

  4 当被保护对象为电线电缆时，宜将探火管随电线电缆敷设，并应用专用的管夹固定；当保护对象为电气柜时，宜将探火管随柜内电器元件及线路的空隙绕行敷设，并应用专用的管夹固定。

7.4 防火封堵的施工

7.4.1 防火封堵材料的施工应符合下列规定：

1 安装前，应清除贯穿孔口处的电缆、电缆桥架、电气柜进出线口、平台穿线孔等贯穿物和被贯穿物表面的杂物、油污等，使之具备与封堵材料紧密粘接的条件；

2 在各封堵部位施工中，应对防火封堵部位封堵紧固、严密，并应有对封堵材料的承托装置，防止封堵材料坠落；

3 防火封堵材料在硬化过程中不应受到扰动，在硬化前不应拆除承托装置；

4 当需要辅以矿棉等填充材料时，填充材料应均匀、密实，并防止材料受潮进水；

5 当采用防火包和柔性有机堵料进行封堵时，应先将防火包平整地嵌入贯穿孔口的空隙及环形间隙中，并宜交叉堆砌，然后采用柔性有机堵料填塞细小空隙。

7.4.2 防火封堵材料的施工尚应符合国家现行标准《建筑防火封堵应用技术规程》CECS 154、《电力工程电缆设计规范》GB 50217和《火力发电厂与变电站设计防火规范》GB 50229 的规定。

8 系统调试

8.1 一般规定

8.1.1 风力发电机组消防系统调试应在系统施工结束后进行。

8.1.2 调试前应具备设备布置平面图、系统图、接线图和调试需要的其他技术文件资料。

8.1.3 调试前应编制调试程序,并应按照调试程序工作。

8.1.4 调试前应检查风力发电机组消防系统的施工质量。

8.1.5 调试前应检查风力发电机组火灾报警与联动控制系统线路,对于错线、开路、短路和绝缘电阻低等问题,应采取相应的处理措施。

8.1.6 风力发电机组所有需要联动控制的设备在调试前应安装完成并能正常投入运行。

8.1.7 应对风力发电场中每台风力发电机组消防系统逐一调试完成后,再进行整个风力发电场消防系统的联网调试。

8.1.8 调试负责人必须由专业技术人员担任。

8.1.9 风力发电机组消防系统应连续运行 120h 无故障后,按本规程附录 C 中表 C.0.1 和表 C.0.2 填写相应调试记录。

8.1.10 调试完成后,应将风力发电机组消防系统恢复到准工作状态。

8.2 火灾报警控制器与灭火控制装置调试

8.2.1 对每台风力发电机组的火灾报警控制器、灭火控制装置等设备应分别进行单机通电检查,单机通电正常后方可进行火灾报警与灭火控制系统调试。

8.2.2 调试时应先断开灭火装置的控制连线,接入相应的模拟装置。

8.2.3 火灾报警控制器、灭火控制装置的各项功能应按国家现行标准《火灾报警控制器》GB 4717和《固定灭火系统驱动、控制装置通用技术条件》GA 61的有关规定进行检查并记录。

8.2.4 对吸气式感烟火灾探测器调试,应在采样管末端(最不利处)采样孔加入试验烟,探测器与火灾报警控制器应在120s内发出火灾报警信号;改变探测器的采样管路气流,使探测器处于故障状态,探测器与火灾报警控制器应在100s内发出故障信号。

8.2.5 对图像型火灾探测器调试,应采用专用检测仪器或模拟火灾的方法在探测器监视区域内最不利处检查探测器的火焰和烟雾报警功能,探测器应能正确响应。

8.2.6 对缆式线型感温火灾探测器调试,应采用专用检测仪器或模拟火灾的方法使其发出火灾报警信号,并在终端盒上模拟故障,探测器应能分别发出火灾报警信号和故障信号。

8.2.7 对火灾报警控制器与灭火控制装置的自动功能和手动功能调试,应分别设置在自动工作状态和手动工作状态进行测试,其各项功能应满足设计要求。

8.2.8 对紧急停止功能调试,应当在灭火控制装置处于启动延时期间内,按下紧急停止按钮,灭火控制装置应恢复正常工作状态,启动信号停止,模拟装置不应动作。

8.2.9 对备用电源调试,应检查火灾报警控制器与灭火控制装置的备用电源容量,其容量应满足设计要求。

8.2.10 调试结束后,应恢复灭火装置和联动设备的连接线。

8.3 灭火装置调试

8.3.1 干粉灭火装置调试,应按现行协会标准《干粉灭火装置技术规程》CECS 322的有关规定执行。

8.3.2 柜式和悬挂式气体灭火装置以及热气溶胶灭火装置调试,应按现行国家标准《气体灭火系统施工及验收规范》GB 50263的有关规定执行。

8.3.3 探火管式灭火装置调试,应按现行协会标准《探火管灭火装置技术规程》CECS 345 的有关规定执行。

8.4 风力发电场消防系统联动调试

8.4.1 在风力发电场中连接的所有机组的火灾报警控制器与灭火控制装置、灭火装置及相关设备都逐一调试完成后,再进行整个风力发电场消防系统的联网和联动调试。

8.4.2 调试前,应将每个风力发电机组中的灭火装置和联动设备的连接线断开,接入相应模拟装置或等效负载。

8.4.3 集中火灾报警控制器、联动控制装置的各项功能应按现行国家标准《火灾报警控制器》GB 4717、《消防联动控制系统》GB 16806 的有关规定进行检查并记录。

8.4.4 分别将每台风力发电机组的火灾报警控制器与灭火控制装置的通信线断开,集中火灾报警控制器与联动控制装置应在 100s 内发出声光报警信号,并显示通信中断故障及其机组编号。

8.4.5 当任意一台风力发电机组的火灾探测器、火灾报警控制器与灭火控制装置发出火灾报警信号、故障报警信号、联动启动和动作反馈信号后,风力发电场总控制室内的集中火灾报警控制器与联动控制装置应在 10s 内发出并显示相应的报警信息、灭火装置启动及反馈信息、相关设备联动信息等。

8.4.6 在风力发电场总控制室应逐一对各个风力发电机组消防系统进行远程模拟紧急启停试验,并符合设计要求。

8.4.7 在火灾自动报警与联动控制试验中,集中火灾报警控制器、联动控制装置、火灾报警控制器、灭火控制装置、灭火装置(模拟装置或等效负载)均应动作正常,联动控制程序应符合设计要求;联动控制每台风力发电机组的解列、停机、通风系统关闭、电梯回降首层、自动切换摄像头等功能均应动作正常(信号到位),联动控制程序应符合设计要求。

9 竣工验收

9.1 一般规定

9.1.1 风力发电机组消防系统竣工后,建设单位应负责组织施工、设计、监理、运营等单位进行验收,验收不合格不得投入使用。

9.1.2 竣工验收时,应具备下列文件资料:
  1 竣工验收申请报告;
  2 设计图纸审核意见,设计变更通知单;
  3 施工单位的竣工资料,竣工图;
  4 消防产品认证证书或技术鉴定证书,型式试验合格和出厂检验合格的证明文件;
  5 管道、电线电缆等材料的合格证和材质证明文件;
  6 施工现场质量管理检查记录;
  7 材料进场检验记录、施工过程检验记录;
  8 调试记录。

9.1.3 竣工验收时,应核查文件资料和进行工程质量验收,当文件资料不合格和(或)工程质量验收项目有 1 项不合格时,应判定该系统为不合格。

9.1.4 安装工程质量不符合要求时,应更换设备或返工,直至重新验收合格。

9.1.5 验收合格后,应编写竣工验收报告。

9.1.6 应向建设单位移交包括本规程第 9.1.2 条、第 9.1.5 条、第 9.2.1 条、第 9.3.4 条和第 9.3.5 条规定的全部文件资料、核查验收记录和验收报告,并归档管理。

9.1.7 验收合格后,应将风力发电机组消防系统恢复到正常工作状态。

9.2 文件资料核查

9.2.1 竣工验收时,应对本规程第9.1.2条规定提交的文件资料进行核查,并按本规程附录D中表D.0.1填写相应记录。

9.2.2 各类文件资料应齐全、真实、合法、有效。

9.3 工程质量验收

9.3.1 应对风力发电机组消防系统中下列装置的安装位置、施工质量和功能等进行验收:

1 火灾报警与联动控制系统装置,包括各类火灾探测器、手动火灾报警按钮、紧急启动和紧急停止按钮、声光报警器、集中火灾报警控制器与联动控制器、火灾报警控制器与灭火控制装置等;

2 灭火系统装置,包括干粉灭火装置、热气溶胶灭火装置、柜式气体灭火装置、悬挂式气体灭火装置、探火管式灭火装置等。

9.3.2 风力发电场的风力发电机组消防系统工程质量验收,应对每台风力发电机组全部进行检查验收。

9.3.3 对不同类型的火灾探测器,均应按20%比例抽验。抽验总数不应少于20只(回路),低于20只(回路)的,探测器应全部检验;灭火装置和其他装置的联动控制(自动和手动)和信号反馈功能应按30%比例抽验,抽验总数不应少于20台,低于20台的应全部检验,每项功能试验1次~3次。

9.3.4 所有抽验装置的安装位置、施工质量和功能应符合本规程及国家现行标准《火灾自动报警系统施工及验收规范》GB 50166、《气体灭火系统施工及验收规范》GB 50263、《干粉灭火装置技术规程》CECS 322和《探火管灭火装置技术规程》CECS 345的相关规定,并按本规程附录D中表D.0.2填写相应记录。

9.3.5 风力发电场的防火封堵保护工程质量验收,应对每台风力发电机组及设有防火封堵材料的其他场所全部进行检查验收,主要查验防火封堵材料的选材用料、施工工艺、安装质量和设置部位等。查验结果应符合本规程第 6.6 节和第 7.4 节的相关规定，并按本规程附录 D 中表 D.0.2 填写相应记录。

10 维护管理

10.1 一般规定

10.1.1 风力发电机组消防系统的管理者应制定操作规程、维护管理制度和工作职责等。

10.1.2 消防系统的操作维护人员应由取得相应国家职业资格证书的人员承担。

10.1.3 风力发电机组消防系统应建立下列档案资料：
   1 本规程第9.1.6条规定存档管理的各项文件资料；
   2 操作规程和维护管理制度；
   3 操作人员工作职责；
   4 值班日志、维护和检查记录表；
   5 使用和维护说明书。

10.2 使用与维护

10.2.1 风力发电机组消防系统应保持连续正常运行，不得随意中断。

10.2.2 当发现故障时，应及时维修，并做好记录。重大问题须停机检修的，应及时上报，经主管领导批准后，方可停机维修施工，同时采取防范措施。

10.2.3 消防系统在进行日常检查、巡检、维护和功能试验后，应按本规程附录E中表E.0.1和表E.0.2填写相应记录。

10.2.4 日常应巡查风力发电机组消防系统各设备部件的外观、工作状态、灭火剂贮存容器压力和自检功能等。

10.2.5 每月（季度）应按一定比例进行火灾探测器、火灾报警控制器与灭火控制装置、集中火灾报警与联动控制装置的功能试验，确保对所有机组的消防系统设备每年至少试验一次。同时应检查灭火装置的灭火剂贮存容器、压力表、阀门、喷头、释放机构、自启动装置、感温元件等主要部件的外观、安装情况和工作状态。

10.2.6 每年应进行整个风力发电场所有风力发电机组消防系统的联动试验,包括对集中火灾报警与联动控制装置、火灾报警控制器与灭火控制装置以及火灾探测器的各项功能进行试验,对灭火装置的模拟启动试验,以及对相关联动控制设备的联动启动试验等。

10.2.7 风力发电机组消防系统应每年至少检测一次,由具有资质的消防检测服务机构检测并出具检测报告。

10.2.8 风力发电机组消防系统的日常检查、巡检、功能试验的数量、频次和内容,尚应符合国家现行标准《火灾自动报警系统施工及验收规范》GB 50166、《气体灭火系统施工及验收规范》GB 50263、《干粉灭火装置技术规程》CECS 322、《探火管灭火装置技术规程》CECS 345 和《建筑消防设施的维护管理》GB 25201 的相关规定。

附录 A 风力发电机组消防系统施工现场质量管理检查表

表 A 风力发电机组消防系统施工现场质量管理检查表

工程名称		施工许可证	
建设单位		项目负责人	
设计单位		项目负责人	
监理单位		项目负责人	
施工单位		项目负责人	
序号	项目	内容	
1	现场质量管理制度		
2	质量责任制		
3	主要专业工种人员操作上岗证书		
4	施工图审查情况		
5	施工组织设计、施工方案及审批		
6	施工技术标准		
7	工程质量检验制度		
8	现场材料、设备管理		
9	其他		
施工单位项目负责人： （签章） 年 月 日	监理单位项目负责人： （签章） 年 月 日	建设单位项目负责人： （签章） 年 月 日	

附录B 风力发电机组消防系统施工记录

B.0.1 风力发电机组消防系统设备材料进场检验应按表B.0.1填写记录。

表 B.0.1 风力发电机组消防系统设备材料进场检验记录表

工程名称			
施工单位		监理单位	
分项工程名称	质量规定(规程条款)	施工单位检查记录	监理单位检查(验收)记录
火灾报警系统	第7.1.1条		
	第7.1.4条		
联动控制系统	第7.1.1条		
	第7.1.4条		
灭火装置（系统）	第7.1.1条		
	第7.1.4条		
防火封堵材料	第7.1.1条		
	第7.1.4条		
施工单位项目负责人： （签章） 年 月 日		监理工程师： （签章） 年 月 日	

B.0.2 风力发电机组火灾报警与联动控制系统的施工过程检验应按表 B.0.2 填写记录。

表 B.0.2 风力发电机组火灾报警与联动控制系统施工过程检验记录表

工程名称			
施工单位		监理单位	
分项工程名称	质量规定(规程条款)	施工单位检查记录	监理单位检查(验收)记录
火灾报警系统	第 7.1.5 条		
	第 7.2.1 条		
	第 7.2.2 条		
	第 7.2.3 条		
	第 7.2.4 条		
	第 7.2.5 条		
联动控制系统	第 7.1.5 条		
	第 7.2.4 条		
	第 7.2.5 条		
施工单位项目负责人： （签章） 年 月 日		监理工程师： （签章） 年 月 日	

B.0.3 风力发电机组灭火装置(系统)施工过程检验应按表B.0.3填写记录。

表 B.0.3 风力发电机组灭火装置(系统)施工过程检验记录表

工程名称			
施工单位		监理单位	
分项工程名称	质量规定(规程条款)	施工单位检查记录	监理单位检查(验收)记录
干粉灭火装置	第7.1.5条		
	第7.3.1条		
热气溶胶灭火装置	第7.1.5条		
	第7.3.2条		
柜式和悬挂式气体灭火装置(系统)	第7.1.5条		
	第7.3.3条		
探火管式灭火装置	第7.1.5条		
	第7.3.4条		
施工单位项目负责人: (签章) 年 月 日		监理工程师: (签章) 年 月 日	

B.0.4 风力发电机组防护封堵的施工过程检验应按表B.0.4填写记录。

表B.0.4 风力发电机组防火封堵的施工过程检验记录表

工程名称			
施工单位		监理单位	
分项工程名称	质量规定(规程条款)	施工单位检查记录	监理单位检查(验收)记录
防火封堵的施工	第7.1.5条		
	第7.4.1条		
	第7.4.2条		
施工单位项目负责人: (签章) 年 月 日		监理工程师: (签章) 年 月 日	

附录 C 风力发电机组消防系统调试记录

C.0.1 风力发电机组火灾报警与联动控制系统调试过程检查应按表 C.0.1 填写记录。

表 C.0.1 风力发电机组火灾报警与联动控制系统调试过程检查记录表

工程名称			
施工单位		监理单位	
分项工程名称	质量规定(规程条款)	施工单位检查记录	监理单位检查记录
火灾报警控制器与灭火控制装置调试	第8.2.1条		
	第8.2.2条		
	第8.2.3条		
	第8.2.4条		
	第8.2.5条		
	第8.2.6条		
	第8.2.7条		
	第8.2.8条		
	第8.2.9条		
	第8.2.10条		
风力发电场消防系统联动调试	第8.4.1条		
	第8.4.2条		
	第8.4.3条		
	第8.4.4条		
	第8.4.5条		
	第8.4.6条		
	第8.4.7条		
调试人员:(签字) 年 月 日			
施工单位项目负责人: (签章) 年 月 日		监理工程师: (签章) 年 月 日	

C.0.2 风力发电机组灭火装置(系统)调试过程检查应按表C.0.2填写记录。

表C.0.2 风力发电机组灭火装置(系统)调试过程检查记录表

工程名称			
施计单位		监理单位	
分项工程名称	质量规定(规程条款)	施工单位检查记录	监理单位检查记录
干粉灭火装置	第8.3.1条		
热气溶胶灭火装置	第8.3.2条		
柜式和悬挂式气体灭火装置(系统)	第8.3.2条		
探火管式灭火装置	第8.3.3条		
调试人员:(签字)			年 月 日
施工单位项目负责人: (签章) 年 月 日		监理工程师: (签章) 年 月 日	

附录 D 风力发电机组消防系统工程验收记录

D.0.1 风力发电机组消防系统工程文件资料核查应按表 D.0.1 填写记录。

表 D.0.1 风力发电机组消防系统工程文件资料核查记录表

工程名称						
建设单位			设计单位			
施工单位			监理单位			
序号	资料名称			数量	核查人	核查结果
1	竣工验收申请报告					
2	设计图纸审核意见,设计变更通知单					
3	施工单位的竣工资料,竣工图					
4	消防产品认证证书或技术鉴定证书,型式试验合格和出厂检验合格的证明文件					
5	管道、电线电缆等材料的合格证和材质证明文件					
6	施工现场质量管理检查记录					
7	材料进场检验记录、施工过程检验记录					
8	调试记录					
结论	施工单位 项目负责人: (签章) 年 月 日	监理单位 项目负责人: (签章) 年 月 日		设计单位 项目负责人: (签章) 年 月 日	建设单位 项目负责人: (签章) 年 月 日	

D.0.2 风力发电机组消防系统工程质量验收应按表D.0.2填写记录。

表D.0.2 风力发电机组消防系统工程质量验收记录表

工程名称			
建设单位		设计单位	
施工单位		监理单位	
分项工程名称	质量规定(规程条款)	验收内容记录	验收评定结果
火灾报警与联动控制系统	第9.3.1条		
	第9.3.2条		
	第9.3.3条		
	第9.3.4条		
灭火装置（系统）	第9.3.1条		
	第9.3.2条		
	第9.3.3条		
	第9.3.4条		
防护封堵	第9.3.5条		
结论	施工单位项目负责人：（签章）　　年 月 日	监理单位项目负责人：（签章）　　年 月 日	设计单位项目负责人：（签章）　　年 月 日	建设单位项目负责人：（签章）　　年 月 日

附录 E 风力发电机组消防系统日常维护检查记录

E.0.1 风力发电机组火灾报警与联动控制系统日常维护检查应按表 E.0.1 填写记录。

表 E.0.1 风力发电机组火灾报警与联动控制系统日常维护检查记录表

使用单位	
维护检查执行的规范名称及编号	
检查类别(日检、季检、年检)	

检查日期	检查项目	检查结论	处理结果	检查人员签字

备注	

E.0.2 风力发电机组灭火装置(系统)日常维护检查应按表E.0.2填写记录。

表E.0.2 风力发电机组灭火装置(系统)日常维护检查记录表

使用单位	
维护检查执行的规范名称及编号	
检查类别(日检、季检、年检)	

检查日期	检查项目	检查结论	处理结果	检查人员签字

备注	

本规程用词说明

1 为便于在执行本规程条文时区别对待,对要求严格程度不同的用词说明如下:
  1)表示很严格,非这样做不可的:
    正面词采用"必须",反面词采用"严禁";
  2)表示严格,在正常情况下均应这样做的:
    正面词采用"应",反面词采用"不应"或"不得";
  3)表示允许稍有选择,在条件许可时首先应这样做的:
    正面词采用"宜",反面词采用"不宜";
  4)表示有选择,在一定条件下可以这样做的,采用"可"。

2 条文中指明应按其他有关标准执行的写法为:"应符合……的规定"或"应按……执行"。

引用标准名录

《火灾自动报警系统设计规范》GB 50116
《火灾自动报警系统施工及验收规范》GB 50166
《二氧化碳灭火系统设计规范》GB 50193
《电力工程电缆设计规范》GB 50217
《火力发电厂与变电站设计防火规范》GB 50229
《气体灭火系统施工及验收规范》GB 50263
《气体灭火系统设计规范》GB 50370
《火灾报警控制器》GB 4717
《环境条件分类 环境参数组分类及其严酷程度分级 船用》GB/T 4798.6
《建筑材料及制品燃烧性能分级》GB 8624
《特种火灾探测器》GB 15631
《线型感温火灾探测器》GB 16280
《柜式气体灭火装置》GB 16670
《消防联动控制系统》GB 16806
《特殊环境条件 高原电工电子产品 第1部分:通用技术要求》GB/T 20626.1
《防火封堵材料》GB 23864
《建筑消防设施的维护管理》GB 25201
《气体灭火系统及部件》GB 25972
《悬挂式气体灭火装置》GA 13
《固定灭火系统驱动、控制装置通用技术条件》GA 61
《阻燃及耐火电缆 塑料绝缘阻燃及耐火电缆分级和要求 第1部分:阻燃电缆》GA 306.1

《阻燃及耐火电缆 塑料绝缘阻燃及耐火电缆分级和要求 第2部分:耐火电缆》GA 306.2
《气溶胶灭火系统 第1部分:热气溶胶灭火装置》GA 499.1
《干粉灭火装置》GA 602
《探火管式灭火装置》GA 1167
《建筑防火封堵应用技术规程》CECS 154
《干粉灭火装置技术规程》CECS 322
《探火管灭火装置技术规程》CECS 345

中国工程建设协会标准

风力发电机组消防系统
技 术 规 程

CECS 391：2014

条 文 说 明

目　次

- 1 总　则 ……………………………………………………（53）
- 3 防护单元 …………………………………………………（56）
  - 3.1 防护单元划分 ………………………………………（56）
  - 3.2 防护单元防火保护 …………………………………（56）
  - 3.3 安全要求 ……………………………………………（57）
- 4 系统选型 …………………………………………………（58）
  - 4.1 环境适用条件 ………………………………………（58）
  - 4.2 系统设备选型 ………………………………………（59）
- 5 装置组件 …………………………………………………（61）
  - 5.1 一般规定 ……………………………………………（61）
  - 5.2 火灾探测器 …………………………………………（61）
  - 5.3 火灾报警控制器与灭火控制装置 …………………（63）
  - 5.4 灭火装置组件 ………………………………………（63）
- 6 系统设计 …………………………………………………（66）
  - 6.1 一般规定 ……………………………………………（66）
  - 6.2 火灾探测器 …………………………………………（67）
  - 6.3 灭火装置 ……………………………………………（68）
  - 6.4 火灾报警控制器与灭火控制装置 …………………（71）
  - 6.5 布线 …………………………………………………（71）
  - 6.6 防火封堵材料 ………………………………………（72）
- 7 系统安装 …………………………………………………（74）
  - 7.1 一般规定 ……………………………………………（74）
  - 7.2 探测装置和控制装置的安装 ………………………（74）
  - 7.3 灭火装置的安装 ……………………………………（76）

7.4	防火封堵的施工 …………………………………	(77)
8	系统调试 ……………………………………………	(78)
8.1	一般规定 …………………………………………	(78)
8.2	火灾报警控制器与灭火控制装置调试 ……………	(78)
8.3	灭火装置调试 ……………………………………	(78)
8.4	风力发电场消防系统联动调试 …………………	(78)
9	竣工验收 ……………………………………………	(80)
9.1	一般规定 …………………………………………	(80)
9.2	文件资料核查 ……………………………………	(80)
9.3	工程质量验收 ……………………………………	(80)
10	维护管理 ……………………………………………	(81)
10.1	一般规定 …………………………………………	(81)
10.2	使用与维护 ………………………………………	(81)

1 总 则

1.0.1 近年来,风能发电已经成为全世界可再生能源发展的重要方向。从2006年《中华人民共和国可再生能源法》实施以来,我国风能的开发利用发展迅猛,2006年~2009年连续四年实现全国风电累计装机容量年增长率100%以上,2010年以来,依然保持了良好的快速发展势头。据统计,截至2012年,中国(不包括台湾地区)新增安装风电机组7872台,装机容量12960MW;共累计安装风电机组53764台,总装机容量75324.2MW,年增长率20.8%。我国总装机容量已连续三年位居世界第一位。

但是,风电建设运营管理和风电设备可靠性已是不容忽视的问题。短时间内大批新型风电机组产品投入规模化生产和装机运行后,质量和运行可靠性问题突出,安全事故频发。在最近几年发生的风电机组运行安全事故中,火灾事故占有相当大的比例,且往往造成整个机组被全部烧毁。据有关部门不完全统计,近年我国已发生毁灭性的风力发电机组火灾事故数十起,经济损失巨大。随着机组运转时间的增加,机组各个系统的零部件将逐渐磨损老化,故障率将会不断升高,火灾风险也将显著增大。但对风力发电机组的消防保护尚属空白,在风电消防技术应用上更没有成熟的相关技术标准可以借鉴。

因此,为规范风力发电机组消防系统工程的设计、施工、调试、验收和维护管理,预防风力发电机组火灾事故,减少火灾危害,保护人身和财产安全,满足风电消防现实需要,本规程的制定具有十分重要的意义。

1.0.2 本规程适用于我国新建、改建和扩建的风力发电机组消防系统的设计、施工、调试、验收和维护管理。现在,有的风电整机组装厂在机组出厂前预装了一些自动消防系统装置，对此也应纳入正常的消防监督与管理，其消防系统的设计、施工、调试、验收和维护管理应按本规程执行。而海上机组和高原机组，由于其环境条件特殊，在执行本规程时应考虑海洋和高原特殊气候条件的影响。

目前，风力发电机组有水平轴和垂直轴之分，包括双馈、直驱、半直驱等多种类型。水平轴与垂直轴风力发电机组在结构上有较大区别。水平轴机组的主要设备都安装在塔筒顶部的机舱中，距离地面达五六十米以上，有的大型机组更是高达百米，而垂直轴机组的主要设备安装在靠近地面的设备平台，二者在火灾危险性和扑救难易程度方面差异很大。目前我国新建和在运行的风力发电机组中绝大部分为水平轴的双馈和直驱机组，近年来这两类机组发生火灾的案例呈加速上升趋势。因此，编制组主要针对双馈和直驱机组，开展了大量技术调研、机组运行工况环境测试、机组的火灾危险性试验、消防系统的可靠性和灭火效能试验、消防系统经受风电特殊恶劣条件的性能测试等研究工作，在标准制定中重点结合双馈和直驱机组的结构特点和火灾危险性，提出有针对性的要求和建议。其他类型风力发电机组的消防系统工程设计、施工、调试、验收和维护管理等，在结合它们自身的结构特点和火灾危险性特点基础上，也可按照本规程执行，必要时，还应开展相关的试验研究。

1.0.3 本条规定了根据国家政策进行工程建设应遵守的基本原则。"安全可靠"，是消防工程要以安全为本，要求必须达到预期目的，确保消防安全；"技术先进"，则要求对火灾报警、灭火控制及灭火系统装置的工程设计和施工应合理，采用设备先进、成熟；"经济合理"，则是在保证安全可靠、技术先进的前提下，做到节省工程投资费用。

由于风力发电场地处偏远，环境特殊，救援难度极大。机组运行工况和火灾特性与普通民用及工业建筑有着较大差异，风力发电机组所处环境条件特殊，很大程度上受到当地自然环境各种恶劣气候条件的影响。风力发电机组机舱内工作环境温度变化很大,北方冬天最低可达-40℃以下,而南方夏天最高可达60℃以上;北方风沙重,南方雾气潮湿度大,海边盐雾腐蚀严重。这些恶劣工况环境条件对消防系统装备长期运行的适应性、有效性和可靠性等影响很大,现有消防技术难于满足需求。针对风力发电机组的特点,目前,国内外已开发出一些风力发电机组专用消防装置和系统集成防护解决方案。风力发电机组消防系统装置在现有自动火灾报警系统和自动灭火系统的基础上,增强了系统抵御低温、高温、高温高湿、震动等恶劣工况条件的能力,更加适合风力发电机组的消防保护,具有安装简便、操作维护简单、技术可靠、经济实用等特点。这些新的技术装置和系统集成对本规程的制定落实起到了很好的推动作用。

1.0.4 本规程是在参照其他现行国家有关标准基础上,结合风力发电机组的实际情况制定的。因此,风力发电机组消防系统工程的设计、施工、调试、验收和维护管理,除应执行本规程外,尚应符合国家现行有关标准的规定,这些现行有关标准主要包括本规程引用标准名录中列出的标准以及其他相关标准。

3 防护单元

3.1 防护单元划分

3.1.1 本条规定了风力发电机组划分防护单元的基本原则,即一个防护单元应具有完整的封闭空间,能形成一个独立的探测区域和灭火区域。因此,应按照风力发电机组的内部空间结构特点来划分防护单元。

3.1.2 风力发电机组的一些重点防火部位应划分为独立的防护单元。轮毂与导流罩形成的空间宜为一个防护单元。机舱(含机舱平台底板下部)视情况可划分为一个或两个防护单元,当机舱平台底板下部与机舱之间连接部位开口较大,不影响统一设置火灾探测与灭火装置时,宜为一个防护单元;当开口较小,两部分空间相对独立时宜分别划定防护单元。塔架内通常设置多个平台,宜按平台划分防护单元。塔架底部通常为两层结构,其内设有较多的设备,且彼此空间相互独立,每层应为一个防护单元。风电机组安装有较多的电气柜,且分布在轮毂、机舱、塔架底部等部位,当电气柜相对密闭时,与所处的空间相互独立,应划分为一个独立的防护单元进行防火保护。

3.2 防护单元防火保护

3.2.1 本条对风力发电机组所采用的阻燃材料、防火封堵材料、电缆等提出了相应要求,需要在风力发电机组的整机设计、选材用料和制造过程中贯彻实施,为减少风力发电机组的火灾隐患,降低火灾风险创造有利条件。

3.2.2 本条对风力发电机组各防护单元和重点防护部位的选材用料和结构设计提出了防火要求,是参照欧美等发达国家的相关标准要求制定的。

3.3 安 全 要 求

3.3.1 每个防护单元内(电气柜、轮毂及导流罩除外)宜设置应急照明与火灾声光警报器,目的在于向防护单元内人员发出迅速撤离的警告并提供应急照明,以免受到火灾或施放的灭火剂的危害。防护单元外入口处设置的紧急启动和紧急停止按钮是为了供人员在火灾或误报警的紧急情况下启动或停止灭火系统的动作程序。灭火剂喷放指示灯,是为了提示防护单元内正在喷放灭火剂灭火,人员不能进入,以免受到伤害。防护单元内外设置的警报器声响,通常明显区别于上下班铃声或自动喷水灭火系统水力警铃等声响。警报声响度通常比环境噪声高 30dB。由于电气柜、轮毂及导流罩两个防护单元的特殊性,可不设置上述装置。

3.3.2 设置标有灭火剂类型的永久性标志牌是为了提示进入防护区人员,当发生火灾时,应立即撤离。

3.3.3 本条参照现行国家标准《气体灭火系统设计规范》GB 50370—2005 中第 6.0.4 条"灭火后的防护区应通风换气,地下防护区和无窗或设固定窗扇的地上防护区,应设置机械排风装置,排风口宜设在防护区的下部并应直通室外。通信机房、电子计算机房等场所的通风换气次数不应小于每小时 5 次"的规定,并结合风力发电机组的实际情况而制定。

3.3.4 本条规定的应急逃生装置包括:供人员逃生用的逃生缓降器、柔性救生滑道和消防自救呼吸器,以及灭火后供人员进入时佩戴的空气呼吸器等。发生火灾时,为了保护人员安全逃生,应禁止乘用电梯。

4 系统选型

4.1 环境适用条件

4.1.1 本条对各类型风力发电机组采用的消防系统的使用环境温度包括工作温度和生存温度加以规定。在我国相关风电标准中,只界定了低温机型和标准机型,但是,也规定了当在使用环境条件特殊时,应该根据实际使用环境条件来合理设定风力发电机组的工况环境条件。在我国广大南方地区尤其是长江以南,气候条件比较温暖潮湿,冬天最低气温一般都在零摄氏度以上,但夏天气温偏高,而且夏季持续时间长。调研发现有的机组在夏季时轮毂、机舱控制柜、塔底电气柜内等部位的运行温度可能高达60℃。本规程对高温型风力发电机组消防系统使用环境温度的规定很有必要,也符合我国国情。本条对低温机型和标准机型风力发电机组消防系统使用环境温度的规定,是参照《风力发电机组 设计要求》GB/T 18451.1、《风力发电机组 变速恒频控制系统 第1部分:技术条件》GB/T 25386.1、《风力发电机组 全功率变流器 第1部分:技术条件》GB/T 25387.1等国家现行风电标准的相关要求制定的。

4.1.2 在《腐蚀科学与防护技术》第19卷第4期(2007年7月)的《钢铁海洋大气腐蚀试验方法的研究进展》(作者:江旭,柳伟,路民旭,北京科技大学材料科学与工程学院,北京100083)一文中有这样的论述:"大气腐蚀一般被分成乡村大气腐蚀,工业大气腐蚀和海洋大气腐蚀。乡村地区的大气比较纯净,工业地区的大气中则含有 SO_2,H_2S,NH_3 和 NO_2 等,与之相比海岸附近的大气与其他大气环境有明显不同。海洋大气是指在海平面以上由于海水的蒸发,形成含有大量盐分的大气环境。此种大气中盐雾含量较高,对金属有很强的腐蚀作用。与浸于海水中的钢铁腐蚀不同,海洋大气腐蚀同其他环境中的大气腐蚀一样是由于潮湿的气体在物体表面形成一个薄水膜而引起的。这种腐蚀大多发生在海上的船只,以及沿岸码头设施上。我国许多海滨城市受海洋大气的影响,腐蚀现象是非常严重的。普通碳钢在海洋大气中的腐蚀比沙漠大气中大 50 倍至 100 倍。除了在强风暴的天气中,在距离海岸近的大气中的金属材料,特别是在距海岸 200m 以内的大气区域中,强烈的受到海洋大气的影响。离海岸 24m 处钢的腐蚀比 240m 处大 12 倍,海洋大气中金属材料腐蚀速率明显变化发生在距海岸线 15km 到 25km 之间"。

在调研工作中,编制组未查到在现行的国家标准和行业标准中有相关的规定。因此,本规程规定"距海岸线或盐湖湖泊 25km 以内的风力发电机组采用的消防系统,应满足《环境条件分类 环境参数组分类及其严酷程度分级 船用》GB/T 4798.6 有关的要求"。

4.1.3 本条是参照现行国家标准《特殊环境条件 高原电工电子产品 第 1 部分:通用技术要求》GB/T 20626.1 的有关规定制定的。

4.2 系统设备选型

4.2.1 风力发电机组消防系统的设备选型很重要,直接影响到消防系统的可靠性和使用寿命,一定要与风力发电机组安装地域的环境条件和机组的运行工况相适应,必要时还应采取相应的加温、降温及防腐等措施。

4.2.2 本条对风力发电机组的防护单元和重要部位中哪些需要设置火灾探测器加以规定。在轮毂内,由于轮毂处于旋转状态,条件特殊,不便设置火灾探测器和穿线管路,因此,可采用带自启动装置的灭火装置如干粉和热气溶胶等进行灭火保护。

4.2.3 本条对风力发电机组的防护单元和重要部位中哪些需要

设置自动灭火装置加以规定。由于塔架高度一般在50m以上,其内部设有多个平台,上下联通的平台设有爬梯等通道,很难进行防火封堵。在塔架内(不包括底部设备层),除了电缆外,其他可燃物很少。因此,在塔架内进行灭火保护的意义不大,而且成本很高,难度较大,可重点对塔架内的电缆与电缆桥架提出防火要求,如采取阻燃电缆和防火堵料等技术措施。

4.2.4 本条采用表格的形式对风力发电机组各防护单元和探测部位的火灾探测器选型加以规定。在编制组开展相关试验研究基础上,对吸气式感烟探测器、图像型火灾探测器和缆式线型感温探测器做出了推荐与不推荐的规定,但并不表示对其他类型的火灾探测器加以限制。

4.2.5 本条采用表格的形式对风力发电机组各防护单元的灭火装置选型加以规定。在编制组开展相关试验研究基础上,根据不同类型风力发电机组的工况环境条件尤其是温度数据,对干粉灭火装置、热气溶胶灭火装置、二氧化碳和七氟丙烷等气体灭火装置(系统)以及探火管式气体灭火装置(二氧化碳和七氟丙烷)做出了推荐与不推荐的规定,但并不表示对其他类型的灭火装置加以限制。对于低温型风力发电机组,由于工况环境温度低到$-30℃$,二氧化碳和七氟丙烷等气体灭火系统难于适应,即使对瓶组加热,也很难保证喷放到防护单元的效果,因此不加以推荐。

5 装置组件

5.1 一般规定

5.1.1 本条中提到的现行相关国家标准和行业标准主要包括：《火灾报警控制器》GB 4717、《固定灭火系统驱动、控制装置通用技术条件》GA 61、《特种火灾探测器》GB 15631、《线型感温火灾探测器》GB 16280、《干粉灭火装置》GA 602、《气溶胶灭火系统 第1部分：热气溶胶灭火装置》GA 499.1、《消防联动控制系统》GB 16806、《气体灭火系统及部件》GB 25972、《探火管式灭火装置》GA 1167、《柜式气体灭火装置》GB 16670 和《悬挂式气体灭火装置》GA 13 等等，这些标准所涉及的消防产品大多可用作风力发电机组消防系统装置组件。

5.1.2 在风力发电场控制中心内，由于有人值班，一般都设置有空调系统和取暖设施。本条是参照现行国家标准《火灾报警控制器》GB 4717 等标准的相关规定制定的。

5.2 火灾探测器

5.2.1 本条对风力发电机组中应用的吸气式感烟火灾探测器的功能提出了更高要求。由于风力发电场大多处在偏远地区，机组分散，机组的工况环境条件较为恶劣，一方面对火灾探测器的环境适应性要求很高，另一方面也要求火灾探测器的可靠性和灵敏度要高，为及早发现火灾创造条件。吸气式感烟火灾探测器的种类较多，而管路采样式高灵敏型吸气式感烟火灾探测器具有很高的灵敏度，对空气中的烟雾粒子异常敏感，能够及早发现火情。探测器的联网功能可以使风力发电场内各台风力发电机组中的探测器被集中监控，在中控室就可以监控所有探测器的工作和故障状态，方便日常维护和管理。在风沙较重地区或近海、海上区域的风力发电机组应用时,由于空气中含尘含沙量大以及盐雾粒子较多,容易污染吸气式感烟探测器的内部,所以应具有加强的空气过滤功能和探测器自清洁功能。

5.2.2 本条对风力发电机组中应用的图像型火灾探测器的功能提出了更高要求。由于风力发电机组机舱和塔底设备层内部空间不大,高度有限,而且设备众多,因此,图像型火灾探测器应具有在小空间内能够识别烟雾(在现行国家标准《特种火灾探测器》GB 15631—2008中没有识别烟雾的要求,但目前国内已有部分厂家生产的图像型火灾探测器具有该功能)和火焰的能力。日间受阳光照射机组内明亮通透,夜间则一片漆黑,受叶片转动影响机舱内还会出现日光的频繁光影变化,图像型火灾探测器应能够适应这样的环境,尽量避免出现误报和漏报火警。图像型火灾探测器还应具有通信功能,以便向火灾报警控制器传递视频、火警、故障等信息。

5.2.3 本条对风力发电机组中应用的缆式线型感温火灾探测器的功能提出了更高要求。由于风力发电机组内尤其是双馈式机组的机舱内,各类润滑油品渗漏严重,机舱内存在强电磁。缆式线型感温火灾探测器在安装和使用运行中很难避开油污和噪声干扰,因此,缆式线型感温火灾探测器应具有很好的耐油侵蚀性能和金属屏蔽抗干扰性能。同时,连续测温功能、短路报故障功能以及可以向火灾报警控制器传递火警、故障等信息的通信功能也是必须具备的。

5.2.4 本条旨在不限制其他先进技术的应用。由于风力发电场所处的特殊恶劣环境,其他类型的火灾探测器,如点型红外火焰探测器、点型离子感烟探测器、点型光电感烟探测器等,可能难于适应机组内的工况环境条件,也不容易采取相应的加温和降温保护措施。因此,在风力发电机组上使用这些探测器要特别慎重,需要开展有针对性的试验研究,其特性参数应由具有相应资质的机构根据风力发电机组的特殊工况环境条件进行相应的试验验证确定,以确保其适应风力发电机组的工况环境条件要求。

应开展的验证试验项目主要包括:高温试验、低温试验、高低温交变试验、湿热试验、腐蚀试验和振动试验等相关环境条件试验以及机舱模拟火灾报警试验,等等。

5.3 火灾报警控制器与灭火控制装置

5.3.1 本条旨在实现对整个风力发电场的消防联网和集中管理。因此,必须在风力发电场总控制室内设置集中火灾报警控制器与联动控制装置,并通过生产控制网络或专用网络与各台机组的消防系统相连,组成整个风力发电场的消防控制中心网络系统,实现对所有机组各类消防系统设备和机组的各类相关联动控制设备的状态监视和控制。

5.3.2 本条旨在确保对整个风力发电场中的所有风力发电机组都能实现可靠的消防保护。每台风力发电机组都应安装火灾报警控制器,并与本机组内安装的火灾探测器、灭火控制装置和相关联动控制设备组成一套火灾报警与联动控制系统,可以自动完成本机组的所有火灾报警与灭火控制功能。

5.3.3 本条对配备图像型火灾探测器的火灾报警系统的显示设备和录像存储设备提出了明确要求。配备图像型火灾探测器的火灾报警系统,应该尽可能把视频信号传回到风力发电场总控制室后,既可以作为平时安全监控视频网络使用,又可以作为火灾报警系统使用,系统同时具备了安全监控和火灾报警两种功能。本条规定的显示屏尺寸不宜小于21吋、录像存储空间和时间不应小于30d,是在综合考虑到这两种功能需要基础上确定的。

5.4 灭火装置组件

5.4.1 本条对风力发电机组中应用的干粉灭火装置的功能提出了明确要求。为了安全可靠,干粉灭火装置要有自动控制和感温自启动两种启动方式,即具备自动控制联动启动和自带感温自启动装置启动两种功能,感温自启动方式包括:玻璃球、热敏线、易熔合金、磁电开关等,而海上机组不宜采用易熔合金自启动方式。另外,机组在运行中产生持续较大幅度的振动,对悬挂式干粉灭火装置等设备的安装牢固度影响很大,对安装支架和安装受力面都有较高要求,在实际工程应用中已有安装支架断裂设备掉落的先例。为此,一方面要加强安装支架的牢固度,另一方面也要限制单具灭火装置的重量。经在多项风电工程中实际安装运行检验,规定悬挂式安装的单具灭火剂质量不宜大于 5kg 是比较适宜的。

5.4.2 本条对风力发电机组中应用的热气溶胶灭火装置的功能提出了明确要求,本条要求与本规程第 5.4.1 条基本一致。规定无自动控制方式的热气溶胶灭火装置,应具有双引发自启动功能,目的是为了启动方式更加安全可靠,而且目前市场上有许多热气溶胶灭火装置都是具有双引发自启动功能的。要求灭火剂质量不宜大于 5kg,其理由与干粉灭火装置一样。要求灭火剂喷放时间不应大于 30s,是由于机组各个防护单元很难完全封闭,而且风力发电机组所处的位置一般风速较高,灭火剂喷放后容易散失,因此,应在尽可能短的时间内使防护单元内的灭火剂达到最大浓度,确保灭火效果。而在现行行业标准《气溶胶灭火系统 第 1 部分:热气溶胶灭火装置》GA 499.1—2010 中的规定较低,其喷射时间要求最慢可到 120s,不满足风电的特殊环境条件需要。据了解,目前国内外已有部分厂家开发生产了喷放速度较快的热气溶胶灭火装置,其喷放时间能满足不大于 30s 的要求。

5.4.3 本条对风力发电机组中应用的气体灭火系统(装置)的功能提出了明确要求。提出宜采用柜式气体灭火装置(系统)和悬挂式气体灭火装置等预制灭火系统(装置),灭火剂宜选用二氧化碳和七氟丙烷,主要是考虑到风力发电机组的内部空间狭小,设备密集,不宜安装较多的灭火剂管道,灭火剂贮存装置的占地面积和空间不宜过大,而且由于需要高空运输作业,安装方式也应尽可能简单。预制气体灭火系统(装置)在这些方面都具有显著的有点。自动控制和手动控制两种启动方式在气体灭火装置(系统)中已被广泛采用,灭火剂喷洒信号反馈装置、灭火剂检漏(包括对压力、重量或液面高度等)信号反馈装置主要是为了把装置的状态信号及时传回到值班室,利于日常维护和管理。

5.4.4 本条对风力发电机组中应用的探火管式灭火装置的功能提出了明确要求。探火管式灭火装置是近几年发展起来的新的灭火保护方式,通过自带的探火管探测火灾,火灾时探火管受热部位到达预设温度后破裂,释放灭火剂实施灭火,灭火剂一般采用二氧化碳、七氟丙烷和干粉等,目前在保护小的封闭空间如电气柜方面应用较多。探火管式灭火装置安装方式简便,占用空间小,比较适宜用在风力发电机组上对各类电气柜实施灭火保护。本条依据现行行业标准《探火管式灭火装置》GA 1167—2014 和现行协会标准《探火管灭火装置技术规程》CECS 345:2013 的有关规定,对探火管式灭火装置的各项功能提出了明确要求。需要注意的是:"容器阀与探火管连接处应设检修关断用的阀门或机构,并设有阀门或机构的位置状态警示装置"。当在检修完成后忘记将关断阀或机构打开,将造成灭火剂无法自动喷洒的严重问题,因此,有必要在关断阀或机构上设位置状态警示装置。

5.4.5 本条旨在不限制其他先进技术的应用。由于风力发电机组的工况和环境条件恶劣,采用其他类型的灭火剂及灭火装置时,其特性参数应由具有相应资质的机构根据风力发电机组的特殊工况环境条件进行相应的试验验证确定,以确保其适应风力发电机组的工况环境条件要求。

应开展的验证试验项目主要包括:高温试验、低温试验、高低温交变试验、湿热试验、腐蚀试验和振动试验等相关环境条件试验以及机舱模拟火灾灭火试验,等等。

6 系统设计

6.1 一般规定

6.1.1 我国幅员辽阔,各地气候条件差异很大,对风力发电机组及其消防系统都有相应的特殊工况环境条件要求,在本规程第4章中对消防系统的选型做出了相应规定,在消防工程设计中按规定选择适宜的系统设备。

6.1.2 在对风力发电机组划分防护单元时,首先要考虑风力发电机组的结构特点,每个防护单元都应有相互独立的封闭空间,同时还要考虑到选用的火灾探测器和灭火装置的技术性能和应用特性,按本规程第3.1节的规定把一台风力发电机组划分为多个防护单元。

6.1.3 本条对双馈式、直驱式等机型风力发电机组各防护单元的灭火方式提出了原则性要求,主要考虑到各机型的内部结构各异,设备数量和布置方式不同,容易发生火灾的部位不同。双馈式机组机舱中设备很多,布置密集,火灾隐患多,容易着火的部位也较多,轮毂、变速箱、发电机、制动系统、主控柜、变桨电机和偏航电机及其控制柜等等,都有发生火灾的先例,因此,双馈式机组机舱应采用全淹没灭火方式加以保护。直驱式机组机舱内设备相对较少,火灾隐患部位相对也少,宜采用全淹没灭火方式,也可针对容易着火的关键部位采用局部应用灭火方式加以保护。机组塔底设备层设备较多时,宜采用全淹没灭火方式。各类电气柜都是相对密闭的,应采用全淹没灭火方式加以保护。

6.1.4 风力发电场占地面积很大,机组分散,彼此相距很远,有的达数十公里,机组与风力发电场总控制室之间敷设消防专用电缆的成本很高,难度很大,非常不现实。在目前设计兴建的风力发电场中,各机组与总控制室之间大多采用光纤进行信号传输,在设计风力发电场生产控制网络系统时,应统一考虑消防系统信号传输的需要,为风力发电机组消防系统的远程监控功能留有足够的光纤芯作为数据通道;当在风力发电场改建、扩建等受工程条件限制时,宜采用风力发电场生产控制网络系统备用光纤进行信号传输。

6.1.5 本条对风力发电机组消防系统的启动控制方式加以规定,根据各个防护单元的空间结构和分布情况,对可能采用的各类灭火装置(系统)的启动方式有针对性地提出了相应要求。

6.1.6 本条是参照现行国家标准《火灾自动报警系统设计规范》GB 50116 的有关规定并结合风力发电场的实际情况而制定的。

6.1.7 本条内容参照国家现行标准《气体灭火系统设计规范》GB 50370、《二氧化碳灭火系统设计规范》GB 50193、《干粉灭火装置技术规程》CECS 322:2012 和《探火管灭火装置技术规程》CECS 345:2013 的相关规定制定。

6.2 火灾探测器

6.2.1 本条对吸气式感烟火灾探测器的设置提出了具体要求。吸气式感烟火灾探测器的设置应确保在发出火灾报警信号时能够报出具体的防护单元。目前的吸气式感烟火灾探测器一般只能报出一个探测区域信号,因此,不同的防护单元应分别设置吸气式感烟火灾探测器,以利于对相应的防护单元及其设备采取联动控制和灭火措施。在机舱平台底板下部,一般都有一个相对独立的走行电缆的空间,类似于电缆夹层的结构,电缆等可燃物很多,烟气容易在此蓄积,宜在该部位增设采样管和采样孔。在容易发生火灾部位的上方和靠近排风口部位宜增设采样管和采样孔,以便更好地实现早期报警。采样管路的材质可以有多种选择,目前不锈钢管、经阻燃处理的 PVC 或 ABS 管等都有采用,但不宜采用容易腐蚀的金属管。对采样管路长度、采样孔数量和毛细管布置等的规定是参照现行国家标准《火灾自动报警系统设计规范》

GB 50116—2013中第6.2.17条的规定。

6.2.2 本条对图像型火灾探测器的设置提出了具体要求。参照现行国家标准《火灾自动报警系统设计规范》GB 50116－2013的有关规定,同时考虑到风电机组的机舱和塔底设备层等防护单元的空间都比较小,设备密集,发电机、控制柜等高大设备对图像型火灾探测器的探测视角影响较大,应合理选择探测器的最大探测视角及最大探测距离,尽量避免出现探测死角。当有高大设备且布置密集导致探测死角无法避免时,可在高大设备的背面等适当部位加设镜面反射板,其几何尺寸和设置部位应有所考虑,确保能够把探测器无法"看到"部位的影像反射到探测器的探测窗口,使得探测器能够有效探测该部位的火灾情况。这个方法简单实用,已在多次机舱火灾试验中得到验证。此外,遮挡物会导致图像型火灾探测器不能有效探测被遮挡区域的火灾和及时发出报警信号,而光源和太阳光直接照射在探测器的探测窗口时容易导致误报火警,这两种情况都应避免。

6.2.3 本条参照现行国家标准《火灾自动报警系统设计规范》GB 50116—2013的有关规定并结合风力发电机组的具体情况,对缆式线型感温火灾探测器的设置提出了具体要求。缆式线型感温火灾探测器适宜用在风力发电机组上,可用在机组的电缆桥架、机舱平台底板下部及电缆夹层、发电机、主轴总成、储油池及齿轮箱等重点防火部位。在设置时一定要对不同防护单元分别设定探测区域,以利于对相应的防护单元及其设备采取联动控制和灭火措施。探测器的布置方式应与保护对象外形结构相适应,以利于探测器更有效的发挥探测报警功能。当设置线型感温火灾探测器的场所有联动要求时,可采用具有多级报警功能的同一只线型感温火灾探测器的两级报警信号如定温信号、差温信号作为联动触发信号。

6.3 灭火装置

6.3.1 本条是参照国家现行标准《干粉灭火装置技术规程》CECS

322 和《干粉灭火装置》GA 602 的规定并结合风力发电机组的具体情况而制定的。

6.3.2 本条是参照现行国家标准《气体灭火系统设计规范》GB 50370 的有关规定并结合风力发电机组的实际情况而制定的。为保证灭火效果,各防护单元的通风口、排风机应在灭火剂喷放前自动关闭。

目前,有的风力发电机组在设计时,为了保证通风散热效果,在机舱等防护单元确有少量开口无法完全封闭,对这些防护单元,应适当增加灭火剂用量。

编制组曾开展过一些验证试验工作,在有关单位的配合下,对热气溶胶灭火装置的灭火剂用量和灭火密度与被保护空间开口率的关系进行了初步的试验研究,取得了一些试验数据,见表 1:

表 1 热气溶胶灭火装置开口补偿量测试数据

序号	开口率(%)	开口位置	灭火剂质量(g)	灭火浓度(g/m³)
1	0	无	1000	125
2	1.0	上部	1200	150
3	1.5	上部	1400	175
4	2.0	上部	1600	200
5	2.6	上部	2400	300
6	2.6	下部	1200	150

注:试验空间为 2m×2m×2m,灭火装置标称灭火密度为 100g/m³。

同时,考虑到风力发电机组各个防护单元内设备密集,结构复杂,对热气溶胶有一定的吸附和阻挡作用,影响到热气溶胶的扩散和灭火效果,因此,本规程要求热气溶胶的灭火设计密度不应小于生产单位标称灭火密度的 1.5 倍。

另外,编制组采用 750kW 风力发电机组机舱灭火试验装置,对两个单位提供的热气溶胶开展了灭火试验研究,该试验机舱顶部有通风开口,开口率约为 1%,在舱内不强制通风情况下,试验的灭火密度约为 170g/m³,当对外强制排风时(排风量 1.7m³/s,

模拟机舱内散热风机工况),灭火密度达到260g/m³。

由于风力发电机组种类繁多,结构形式各异,通风开口情况千差万别,对热气溶胶的灭火设计密度和灭火剂用量应相应调整,必要时,建议由具有相应资质的机构根据具体情况进行相应的灭火试验验证确定。

对机舱内和塔架底部设备层采用的热气溶胶灭火装置,应采用自动控制和感温自启动控制两种方式;对配电柜、变频柜、控制柜等空间相对密闭的电气柜采用热气溶胶灭火装置时,由于这些电气柜体积小,数量多,彼此相互独立,不宜在每个柜体内都设置火灾探测器,可采用带感温自启动装置的热气溶胶灭火装置实施灭火保护。由于轮毂及导流罩旋转的特殊性,无法对外铺设电线电缆,也应采用带感温自启动装置的热气溶胶灭火装置实施灭火保护。感温自启动装置对热敏感应靠近防护单元的顶部敷设。为确保喷放灭火剂时能够快速均匀地充满整个防护单元,要求灭火装置宜安装在防护单元的顶部,宜居中或均匀布置,并且本单元内所有热气溶胶灭火装置应在2s内全部启动。

6.3.3 本条是参照现行国家标准《气体灭火系统设计规范》GB 50370—2005和《二氧化碳灭火系统设计规范》GB 50193(2010年版)的有关规定,并结合风力发电机组的实际情况而制定的。由于风力发电机组的工况环境条件特殊,本规程推荐采用预制式气体灭火装置(系统),包括柜式与悬挂式七氟丙烷气体灭火装置(系统)、柜式二氧化碳气体灭火装置(系统)。由于惰性气体灭火装置的贮存压力高,在风力发电机组工况温度变化较大的情况下存在安全风险,而且灭火剂用量大,贮存装置多,占用空间大,在风力发电机组上很难找到适宜的安装空间。

6.3.4 本条是参照现行协会标准《探火管灭火装置技术规程》CECS 345的有关规定并结合风力发电机组的实际情况而制定的。

6.4 火灾报警控制器与灭火控制装置

6.4.1 风力发电场中的风力发电机组都相距很远,需要将每台风力发电机组的消防系统设计成可以独立完成火灾探测报警与联动控制灭火所有功能的完整系统,因此,每台机组都需要设置一台火灾报警控制器与灭火控制装置,组成一套区域火灾报警与灭火控制系统。把火灾报警控制器与灭火控制装置设置在塔筒底部人员出入口附近,主要是为了方便人员观察和日常维护管理。

6.4.2 风力发电场中所有风力发电机组的火灾报警信号都应传输到风力发电场总控制室,并且总控制室应能够对各个机组的消防系统实施联动控制与状态监视,因此,在风力发电场总控制室内,应至少设置一台集中火灾报警控制器与联动控制装置。同时,对于新建项目,建议从风力发电场的整体情况全面考虑,把风力发电场的升压站或集控中心的消防系统统一纳入进来,组成整个风力发电场的消防系统控制中心系统;条件不具备时,集中火灾报警控制器的报警点位与联动控制器的控制回路应留有适当余量,方便日后连接。但是,有关风力发电场的升压站或集控中心的消防系统的设计与施工等问题,不在本规程考虑范围内,可以参照现行国家标准《火力发电厂与变电站设计防火规范》GB 50229 和《建筑设计防火规范》GB 50016 等有关标准执行。

6.4.3 制定消防联动控制程序时,要充分考虑风力发电场的实际需要,要与风力发电场的生产控制程序相协调,既要保证消防安全,也要保证机组的正常运行不受影响,更要保证国家电网的运行安全。

6.5 布　　线

6.5.1 本条是参照现行国家标准《火灾自动报警系统设计规范》GB 50116 的有关规定并结合风力发电机组的实际情况制定的。

6.5.2 本条是参照现行国家标准《火灾自动报警系统设计规范》

GB 50116 的有关规定并结合风力发电机组的实际情况制定的。在风力发电机组内有很多电气设备和大功率发电机,存在强电磁场干扰,消防联动控制线路宜采用屏蔽电缆,可以起到较好的抗干扰效果,避免灭火装置发生误启动。

6.5.3 目前,绝大多数风力发电机组在从机舱到塔架底部的动力电缆和控制电缆都没有采用穿管或线槽保护,都是采取直接敷设的方式,这主要是由于机组塔架的特殊情况决定的,因此,从机舱到塔架底部的消防线路,也宜采用矿物绝缘类不燃性电缆直接敷设的方式。此外,机舱与塔架的连接处,随着风力发电机组的运行长期处在偏航活动状态,而且转动角度很大,最大可到 720°,对穿过该处的所有消防线路和管路都有很大影响,必须采取可靠的防扭曲措施。通常可采用软管、活接头、并在连接处随着风力发电机组的生产控制电缆一样的绕弯布置,即可起到较好的防扭曲效果。

6.5.4 风力发电场生产控制网络线路,一般都有备用线路(如备用光纤等),为风力发电场消防系统的联网创造了良好条件,不必再单独敷设线路。机组与机组之间、机组与控制室之间可以利用这些备用线路连接传输报警与控制信号,但在连接时,其布线和接口应符合风力发电场的相关技术要求。

6.6 防火封堵材料

6.6.1 本条列出了风力发电机组中应进行防护封堵的重点部位,如:机舱内主控柜和各设备的控制柜的电缆出入口处、机舱与塔架接合处的电缆孔洞、机舱内各个电缆穿线孔洞、轮毂内变浆控制柜电缆出入口处、塔架内各平台电缆穿线孔处、塔筒底部设备层电缆出入口处、设备层中变频柜、变流柜、电容柜、控制柜等的电缆出入口处,等等,对这些部位都应采用防火封堵材料加以保护。风力发电场总控制室内以及电缆沟内也应在相应部位采用防火封堵材料加以保护。

6.6.2 防火封堵材料的设置,应按照保护对象的具体情况采取适宜的方式和材料。对小孔洞封堵时,宜采用柔性有机堵料,主要是为了保证封堵的严密性以及方便施工;对大孔洞封堵时,宜采用柔性有机堵料和阻火包等相结合的方式,主要是为了先用阻火包等尺寸较大的且有一定刚性的阻火材料封堵大的孔洞,然后再用柔性有机堵料封堵周围小的空隙。

6.6.3 有的防火封堵材料,可能对电缆具有一定的腐蚀作用,而有的防火封堵材料,会在一定程度上降低电缆的载流量。因此,在防火封堵材料的选用上一定要注意。

7 系统安装

7.1 一般规定

7.1.1 本条是参照现行国家标准《火灾自动报警系统施工及验收规范》GB 50166 和《气体灭火系统施工及验收规范》GB 50263 的相关规定，并结合风力发电的实际情况而制定的。风力发电消防刚刚起步，应尽可能参照建筑消防设施施工中的相关规定，做到规范化施工，确保工程质量和施工安全。

7.1.2 工程设计文件在报经主管部门审查批准后，施工中不得随意变更，必须按照设计文件和施工技术标准进行施工。确需变更的，应由原设计单位负责变更，以便在最大程度上保证设计文件的一致性，避免出现冲突和产生其他新的问题。

7.1.3 目前，我国对各级消防施工企业实行严格的资质等级管理，只有取得相应资质的单位才能从事相应范围的工程消防施工，不得越级承包工程，对风力发电消防施工单位也应参照有关管理办法执行。同时，施工单位在施工过程中应制定落实施工管理制度，确保工程质量。

7.1.4 我国对各类消防产品执行严格的市场准入管理规定，风力发电使用的消防产品必须遵照这些规定，要符合工程设计要求以及相关国家和行业标准的规定，同时产品外观应无加工缺陷和机械损伤等。

7.1.5 对施工过程，尤其是隐蔽工程施工等，有关单位应及时检查验收，并做好相关记录。确保各工序工程质量，做到工程质量可追溯。

7.2 探测装置和控制装置的安装

7.2.1 吸气式感烟火灾探测器的采样管和采样孔的布置应符合

设计要求，采样管和采样孔的安装布置合理与否对探测器的灵敏度影响较大，通常应在防护单元的顶部均匀布置安装，在容易发生火灾的部位上方应增设采样管和采样孔，有排风口的，应靠近排风口设置。当设置外置空气过滤装置，应便于日常维护更换；当加装吹扫套件时，其安装位置应有利于对全部吸气管的吹扫，宜安装在靠近探测器主机的吸气管入口一侧。当采用毛细管探测变桨控制柜、配电柜、变频柜、主控柜等相对密闭的电气柜时，为尽量缩短毛细管的长度，在每个电气柜上方都应设有采样管，然后从采样管的下部打孔安装毛细管，毛细管垂直插入每个柜体上部并与柜体固定牢靠，插入深度不宜超过100mm，以便尽早吸入柜体上部的热烟气，实现早期火灾报警。

7.2.2 风力发电机组各个防护单元的空间都比较小，而且设备密集，壁挂式安装或吸顶式安装可以尽可能避开高大设备的遮挡。机舱中除了灯光外，还有阳光照射尤其是叶片转动引起的频率较高的周期性光影变化，另外还有排风机转动引起的光影变化，都可能导致图像型火灾探测器产生误报警，在施工中要特别注意。镜面反射板可以把高大设备背面死角部位的影像反射到探测器的探测窗口，但安装位置一定要选择恰当，最好是直接安装在防护单元侧壁上的适当部位，但要注意不得影响机组设备的正常运行和日常维护。

　　风力发电机组在运行过程中会产生持续的振动，尤其是发电机、变速箱、轮毂、机舱等部位的振动更加强烈，这些持续的不规则的振动容易造成探测器视场图像抖动模糊，导致出现误报警或漏报警，因此，图像型火灾探测器在安装中应采取有效的减振措施，消除振动对火灾探测报警的影响。

7.2.3 缆式线型感温火灾探测器的安装方式比较灵活，但要能够在最大程度上与探测对象保持牢固接触，在电缆及电缆桥架上大多采用正弦波形或S形方式安装，宜采用尼龙扎带和其他专用卡具等与被保护的电缆和电缆桥架固定牢靠。而在发电机组、变压器、电抗器、主轴总成及齿轮箱等重要设施,由于设备尺寸较大,采用缠绕方式敷设比较适宜,且安装方便,宜采用磁扣和其他专用卡具固定牢靠,但应避免影响设备的正常运行和日常维护。探测器的最小弯曲半径对其探测灵敏度和使用寿命都有影响,敷设时应符合其技术文件要求。探测器的转换盒上一般设有报警和故障指示灯,其安装位置应便于人员观察和操作,安装高度宜距离防护单元地(板)面1.3m~1.5m,这是参照现行国家标准《火灾自动报警系统施工及验收规范》GB 50166中有关火灾报警控制器和手动报警按钮的安装高度制定的。

7.2.4 风力发电场总控制室设置的集中火灾报警控制器与联动控制器通常为较大型的柜式或琴台式,应采用落地式安装方式;风力发电机组的火灾报警控制器与灭火控制装置通常为小型设备,宜采用壁挂式安装方式,但应采取金属挂件和卡具等适当的加固措施。

7.3 灭火装置的安装

7.3.1 由于风力发电机组在运行中持续较大幅度振动,对干粉灭火装置的安装要求很高,安装方式必须牢固可靠;其安装位置和喷射方向应符合设计要求,并应避开遮挡物,确保能够全部覆盖被防护单元。悬挂式干粉灭火装置通常可安装在防护单元的侧壁或顶部,当安装在侧壁时,应尽量靠近防护单元的顶部安装。

7.3.2 由于风力发电机组各防护单元的空间狭小,设备密集,为不影响气溶胶灭火剂的扩散效果,灭火装置采取悬挂式安装比较适宜。热气溶胶灭火装置的喷口前端温度较高,可达180℃~200℃,因此,要求喷口前1m内不应有可燃物,在电气柜内安装时,喷口应避开电气元件。

7.3.3 为了使灭火剂尽可能分布均匀,在不影响风力发电机组的正常运行和维护管理情况下,柜式气体灭火装置安装时宜靠近防护单元侧壁居中布置,正面宜留有不小于1m的维护距离,方便人员操作维护。悬挂式气体灭火装置一般可安装在防护单元的顶部或侧壁,安装在侧壁时,应尽量靠近防护单元的顶部安装,安装方式应牢固可靠;灭火装置应尽量安装在防护单元的中部,当使用多具装置时,宜均匀布置安装。

7.3.4 本条是参照现行协会标准《探火管灭火装置技术规程》CECS 345:2013 的有关规定制定的。

7.4 防火封堵的施工

7.4.1 防火封堵材料的施工方法和施工程序既要符合封堵材料技术要求,也要满足风力发电的实际情况需要,尤其在机舱和塔架上,属于高空作业,要注意施工安全,防止封堵材料坠落。防火封堵材料在硬化过程中不应受到外力破坏,确保防火封堵材料与贯穿孔口和被保护电缆等连接紧密可靠。

当采用矿棉等作为填充材料时,施工中既要把材料填塞均匀密实,还要防止材料受潮进水。矿棉虽然具有很好的防火性能,但却容易受潮变形影响其使用寿命。因此,应尽量避免在雨天作业,并保持施工现场干燥通风。

8 系统调试

8.1 一般规定

8.1.1~8.1.10 这些条款是参照现行国家标准《火灾自动报警系统施工及验收规范》GB 50166、《气体灭火系统施工及验收规范》GB 50263等的相关规定,并结合风力发电的实际需要而制定的。调试中,应对每台风力发电机组消防系统逐一调试完成后,再进行整个风力发电场消防系统的联网调试,调试完成后应做好相关记录。

8.2 火灾报警控制器与灭火控制装置调试

8.2.1~8.2.10 这些条款是参照国家现行标准《火灾自动报警系统施工及验收规范》GB 50166、《火灾报警控制器》GB 4717、《固定灭火系统驱动、控制装置通用技术条件》GA 61等的相关规定,并结合风力发电的实际情况而制定的。

8.3 灭火装置调试

8.3.1~8.3.3 这三条分别规定,对干粉灭火装置、柜式和悬挂式气体灭火装置、热气溶胶灭火装置的调试,应按照国家现行标准《干粉灭火装置技术规程》CECS 322、《气体灭火系统施工及验收规范》GB 50263和《探火管灭火装置技术规程》CECS 345的有关规定执行。

8.4 风力发电场消防系统联动调试

8.4.1~8.4.7 这些条款是参照国家现行标准《火灾自动报警系统施工及验收规范》GB 50166、《气体灭火系统施工及验收规范》

GB 50263、《火灾报警控制器》GB 4717、《固定灭火系统驱动、控制装置通用技术条件》GA 61 等的相关规定,并结合风力发电的实际情况而制定的。调试中,应确保灭火装置不会出现误喷,保证风力发电机组的运行安全,尽量避免影响机组的正常运行。

9 竣工验收

9.1 一般规定

9.1.1~9.1.7 这些条款是参照国家现行标准《火灾自动报警系统施工及验收规范》GB 50166、《气体灭火系统施工及验收规范》GB 50263等的相关规定,并结合风力发电的实际情况而制定的。对验收单位组成、提交的文件资料和验收程序和评定规则做出了明确规定,所有文件资料应归档管理。

9.2 文件资料核查

9.2.1 对竣工验收提交的文件资料进行核查工作非常重要,只有通过严格的核查,才能确保文件资料的完整性、真实性和有效性,同时,核查完成后应做好相应记录。

9.2.2 各类文件资料应齐全、真实、合法、有效,应有相关单位和责任人签字盖章,无涂改、污染、损毁等问题,且具有可追溯性。

9.3 工程质量验收

9.3.1~9.3.5 这些条款是参照国家现行标准《火灾自动报警系统施工及验收规范》GB 50166、《气体灭火系统施工及验收规范》GB 50263、《干粉灭火装置技术规程》CECS 322和《探火管灭火装置技术规程》CECS 345等的相关规定,并结合风力发电的实际情况而制定的。对风力发电场中的所有风力发电机组的消防系统工程应全部进行质量验收;对火灾探测器、灭火装置和其他联动控制装置应分门别类按比例抽验;对防火封堵材料应主要查验其选材用料、施工工艺、安装质量和设置部位等情况。工程验收后,应做好相应记录。

10 维护管理

10.1 一般规定

10.1.1~10.1.3 这些条款是参照国家现行标准《火灾自动报警系统施工及验收规范》GB 50166、《气体灭火系统施工及验收规范》GB 50263、《干粉灭火装置技术规程》CECS 322 和《探火管灭火装置技术规程》CECS 345 等的相关规定制定的。目前,国家对消防设施的操作维护人员要求越来越高,必须由取得国家职业资格证书的人员承担。

10.2 使用与维护

10.2.1~10.2.8 这些条款是参照国家现行标准《火灾自动报警系统施工及验收规范》GB 50166、《气体灭火系统施工及验收规范》GB 50263、《干粉灭火装置技术规程》CECS 322、《探火管灭火装置技术规程》CECS 345 和《建筑消防设施的维护管理》GB 25201 等的相关规定,并结合风力发电的实际情况制定的。消防系统在进行日常检查、巡检、维护和功能试验后,应做好相应记录;应按本规程做好消防系统的日常检查、月(季)检和年检工作;风力发电机组消防系统应每年至少检测一次,由具有资质的消防检测服务机构检测并出具检测报告。